Introducción
a internet

Volumen

Direct to the Hispanic Community

©MMVII Lexicon Marketing

Lexicon Marketing
640 South San Vicente Boulevard
Los Angeles, CA 90048

This edition is published by arrangement with ELEMENT K.

©MMVII ELEMENT K

Director: Eduardo Aparicio
Editores: Betsabe Mazzoloto y Patricio Zamorano
Diseño gráfico: Efrain Barrera y Leena Hannonen

ISBN: 1-59172-346-9, 978-1-59172-346-2   L702M03

Antes de empezar, lea estas instrucciones.

Para aprovechar al máximo el aprendizaje, le recomendamos que siga el método de estudio siguiente:

1) Vea la lección en el DVD.
2) Lea el vocabulario de la lección en la guía.
3) Ponga el CD-ROM en la computadora y haga los ejercicios de la lección.
Para completar los ejercicios interactivos de este volumen, Windows XP debiera estar instalado en su computadora.
4) Lea la sección "Resumen práctico" en la guía para revisar lo aprendido.
Esta sección le será muy útil después de completar este curso. Consúltela cada vez que tenga dudas que resolver.

Le recomendamos que estudie las lecciones en orden, ya que todo lo que aprenda en una lección se usará en la siguiente.

Internet

Los dos primeros volúmenes de este curso incluyen una breve presentación de internet. En este volumen, vamos a estudiar este tema más a fondo.

Internet es un sistema de comunicación por computadora. Aunque se creó para fines estrictamente militares, internet se ha convertido en el sistema de comunicación más importante del siglo XXI.

En la década de los setenta, se quiso crear una red que conectara las computadoras de los centros universitarios de investigación. Afortunadamente, se fueron diseñando sistemas cada vez más simples y en los años 90, internet -sistema al que también se llama la red- se convirtió en un medio de comunicación al alcance de todos.
Hoy en día, millones de personas en el mundo entero se conectan a internet para acceder a información, productos o servicios que están almacenados en otras computadoras.

Si bien la mayoría de la información que se consigue en internet es gratis, los usuarios deben pagar una cuota de acceso mensual para poder conectarse a la parte más popular de la red llamada World Wide Web (www) o web.
World Wide Web es un sistema que agrupa los recursos de toda la red y los convierte en páginas de fácil acceso y visibilidad. Estas páginas se llaman **sitios web o páginas web**. Para ver dichas páginas, usted tendrá que contratar los servicios de un proveedor de internet. El pago de una cuota mensual a dicho proveedor suele darle acceso ilimitado a internet.

Internet ofrece a sus usuarios una vía de comunicación rápida, económica, y en ciertos casos, instántanea.

El correo electrónico o *e-mail* le permite enviar información de una computadora a otra sin necesidad de usar sobres o estampillas. El envío de documentos, fotografías y material audiovisual por *e-mail* ha sustituido casi por completo al servicio de correos tradicional.
La mensajería instantánea (*instant messaging*) le permite comunicarse en vivo con otros usuarios. Al conectarse a internet, dos o más personas pueden "escribir su conversación" con el teclado.
Las cámaras web o *webcams* envían la imagen y el sonido por internet. Dos personas que dispongan de cámara web pueden conversar en vivo ya que pueden verse y oírse.

Saber "navegar" por internet le beneficiará personal y profesionalmente. Hoy en día, la mayoría de las empresas necesita a personal con experiencia en este tipo de tecnología.
Por otra parte, muchos usuarios se conectan a internet para relacionarse con personas de otros países o para comunicarse con sus seres queridos. Otros lo hacen para pagar cuentas y hacer compras. Al conectarse a internet, podrá realizar un sinfín de actividades que le ahorrará tiempo y dinero.
Este curso le proporcionará los conocimientos básicos necesarios para navegar por internet, proteger a su computadora de virus o de propaganda indeseada y bloquear los sitios de internet que contengan material inapropiado para su familia.

Unidad

1

Información general sobre Internet Explorer

Esta unidad consta de una lección:

1. La pantalla de Explorer

Lección 1
La pantalla de Explorer

En esta lección:
- identificará los componentes de la ventana de Internet Explorer
- cambiará el tamaño y ubicación de las ventanas

Primero, familiarícese con las palabras más importantes de esta lección.

Vocabulario

MSN home page	página de inicio de MSN
Address bar	barra de dirección
Status bar	barra de estado
Standard toolbar	barra de herramientas estándar
Link	vínculo, enlace
URL (Uniform Resource Locator)	dirección de un sitio web (localizador universal de recursos)
Back	ir a la página anterior, ir hacia atrás
Forward	ir a la página siguiente, ir hacia delante
Home	inicio
Restore Down	reducir al tamaño anterior

Content

final

Resumen práctico

Internet Explorer es un programa que puede ayudarle a encontrar y utilizar recursos en internet. Le da acceso a una amplia gama de servicios de internet.

La ventana de Internet Explorer

Éstos son componentes específicos de la ventana de Internet Explorer.

La barra *Address* muestra la dirección de la página web que está visitando. Puede escribir una nueva dirección en el cuadro de texto para buscar o ir a otra página web.

La barra de herramientas *Standard* tiene botones que puede usar al explorar la web.

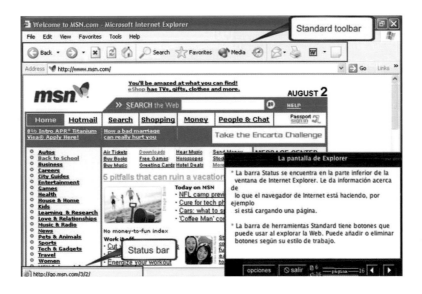

La barra *Status* se encuentra en la parte inferior de la ventana de Internet Explorer. Esta barra le informa de lo que está haciendo el navegador de internet. Usted sabrá, por ejemplo, si el navegador está cargando una página.

Vínculos

Los vínculos o enlaces nos permiten ir a distintas páginas de internet. Al visitar una página web, los vínculos suelen estar subrayados y están escritos con un color diferente.

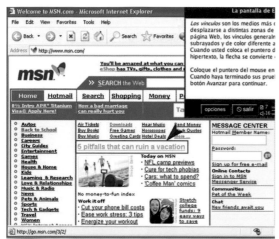

Cuando usted coloca el puntero del ratón sobre el hipertexto, la flecha se convierte en una mano.

Los nombres colocados a la izquierda de la página son vínculos a las direcciones URL de sitios web.

URL (Uniform Resource Locator) es la dirección de un sitio web. Cuando usted se desplaza sobre un vínculo, las direcciones URL aparecen en la barra *Status* de la parte inferior de la página.

1) Haga clic en el vínculo de la categoría *Health*

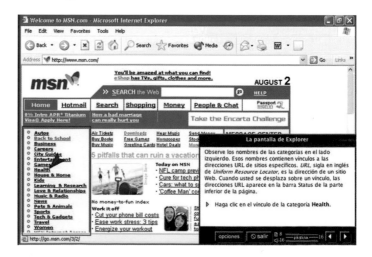

Aparece una página de información relacionada con el vínculo en el cual hizo clic.

2) Haga clic en el vínculo de la categoría *Living Better*.

Ha entrado en una categoría. Al seguir los vínculos de MSN, se desplaza de páginas web generales a páginas más específicas.

El botón *Back* de la barra de herramientas le permite regresar a la página anterior.

1) Haga clic en el botón *Back* para regresar a la página anterior.

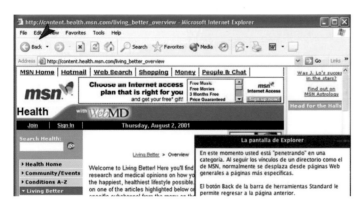
 Back

El botón *Forward* le lleva de nuevo a la página que acaba de visitar.

1) Haga clic en el botón *Forward* para ir a la página que acaba de visitar.

Forward

El botón *Home* le permite ir a la página de inicio previamente programada y que se abrirá cada vez que inicie Internet Explorer.

1) Haga clic en *Home* para regresar, en este caso, a la página de inicio de MSN.

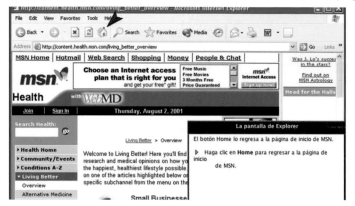

Home

Cambiar el tamaño y ubicación de la ventana

Puede cambiar el tamaño de la ventana de Internet Explorer con el botón *Restore Down*. El botón *Restore Down* hace que la ventana regrese a su tamaño anterior.

1) Haga clic en *Restore Down*.

Restore Down

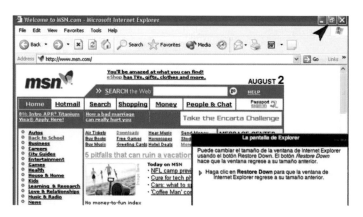

También puede cambiar el tamaño de una ventana colocando el puntero del ratón en el borde o en la esquina de la ventana. El puntero del ratón se convierte en una flecha de dos puntas. Así puede arrastrar los bordes de la ventana hasta que obtenga el tamaño deseado.

Para cambiar la ubicación de la ventana:

1) Coloque el puntero del ratón en la barra de título del programa.
2) Haga clic y arrastre la ventana hasta el lugar deseado.

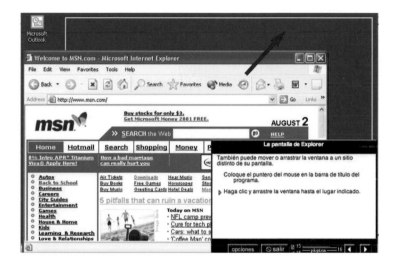

Unidad

Explore Internet

Esta unidad consta de 4 lecciones:

1. Exploración de la web
2. Uso y organización de sus sitios favoritos
3. Uso de las herramientas de búsqueda
4. Uso de directorios en línea

Lección 1
Exploración de la web

En esta lección, aprenderá a:
- **buscar sitios web con** *AutoComplete* **y la búsqueda automática**
- **usar la función** *History*
- **identificar una dirección de internet**

Primero, familiarícese con las palabras más importantes de esta lección.

AutoComplete	rellenar automáticamente
Domain	dominio, identificación de un sitio web
History button	botón "historial"

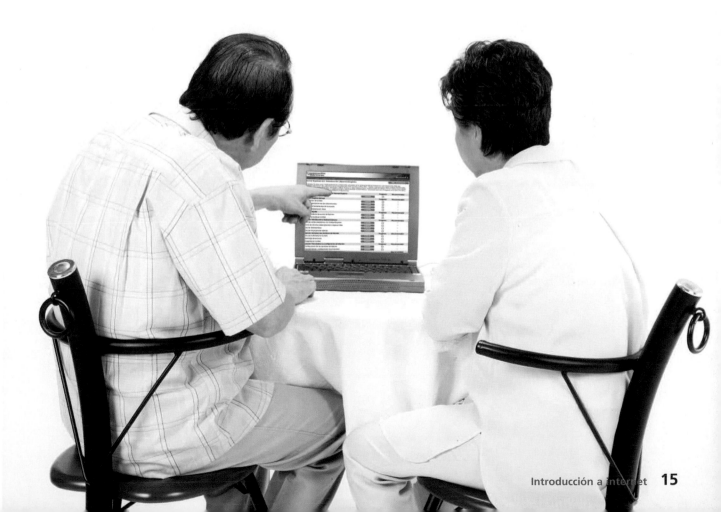

¡Ahora, a su computadora!

Ahora, ponga el CD-ROM en la computadora y seleccione los ejercicios de esta lección.

Esta guía incluye un resumen práctico de dichos ejercicios. Consúltelo cada vez que desee repasar lo aprendido.

Computación sin Barreras. QuickSkill 3

Estatus del curso   Ayuda   Salir de la cuenta   Salir del curso   Usuario QuickSkill: Marcelo

Internet Explorer 6.0: Introducción   [Tome la evaluación]

Información general: En este curso, usted explorará los componentes principales de la ventana de Internet Explorer 6.0, encontrará sitios Web que contienen información útil y utilizará la opción Favorites para crear vínculos a sitios útiles. También explorará cómo utilizar Outlook Express para enviar y recibir correo electrónico, descargar y utilizar archivos y utilizar Address Book. Usará el cuadro de diálogo Internet Options para cambiar las configuraciones y personalizar su página principal y utilizará también Content Advisor. Examinará el acceso a imágenes en la Web. Por último, observará las características P3P y cambiará configuraciones.

		Progreso	Recomendación
Unidad: Información general sobre Internet Explorer			
La pantalla de Explorer	[Comenzar]	☐	?
Unidad: Explore Internet		Progreso	Recomendación
Exploración de la Web	[Comenzar]	☐	?
Uso y organización de sus sitios favoritos	[Comenzar]	☐	?
Uso de las herramientas de búsqueda	[Comenzar]	☐	?
Uso de directorios en línea	[Comenzar]	☐	?
Unidad: Ayuda		Progreso	Recomendación
Uso del sistema de ayuda de Explorer	[Comenzar]	☐	?
Uso de la ayuda en la Web	[Comenzar]	☐	?
Unidad: Introducción a Outlook Express		Progreso	Recomendación
Uso del correo electrónico con Outlook Express	[Comenzar]	☐	?
Envío de vínculos, datos adjuntos y páginas Web	[Comenzar]	☐	?
Uso de Address Book	[Comenzar]	☐	?
Uso de los grupos de noticias	[Comenzar]	☐	?
Unidad: Acceso a los archivos de Internet		Progreso	Recomendación
Uso de multimedia en la Web	[Comenzar]	☐	?
Descarga de archivos	[Comenzar]	☐	?
Imágenes en la Web	[Comenzar]	☐	?
Unidad: Personalice su configuración de Internet		Progreso	Recomendación
Configuración de las opciones de Internet	[Comenzar]	☐	?
Características y configuración de privacidad	[Comenzar]	☐	?

Descripción de los símbolos: aquí le aconsejamos sobre los cursos que debe tomar o repetir, sobre la base de sus respuestas a la evaluación
? Pendiente
☒ Se recomienda tomarlo
☑ Evaluación pasada con éxito

Resumen práctico

Internet Explorer usa dos funciones a la vez para ayudarle a encontrar sitios web: *AutoComplete* y búsqueda automática.

AutoComplete y búsqueda automática

Si escribe parte de una dirección URL en la barra *Address*, Internet Explorer intenta completar lo que usted ha escrito. Esta función se denomina *AutoComplete* y es muy útil. Vamos a intentarlo.

> 1) Haga clic en la barra *Address*.
> 2) Escriba "microsoft" y presione la tecla *Enter*.

Internet Explorer trata de completar lo que usted escribió. Al escribir "microsoft" en la barra *Address*, Internet Explorer añadió los elementos http://www. y .com para mostrar la página de inicio de Microsoft.

Vamos a intentar otro ejemplo.

1) Haga clic en la barra *Address*.
2) Escriba "stock quotes".

Internet Explorer muestra una lista desplegable debajo de la barra *Address* que le indica la forma en que se está interpretando lo que usted ha escrito.

3) Presione la tecla *Enter*.

Si *AutoComplete* no puede encontrar un sitio que corresponda exactamente al texto que usted escribió, Internet Explorer buscará automáticamente sitios relacionados con ese texto. Los resultados de la búsqueda incluyen una lista de vínculos a sitios web que tienen el texto que usted busca.

Lista de vínculos

Vamos a buscar otro tema.
1) Haga clic en la barra *Address*.
2) Escriba "ford".

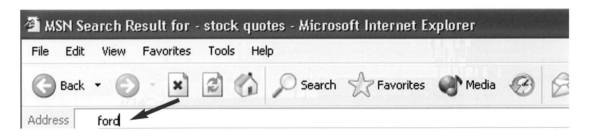

3) Presione la tecla *Enter*.
Esta vez, Internet Explorer le lleva directamente a la página web de Ford Motor Company.

 Si la palabra que usted ha escrito corresponde exactamente al nombre de un sitio web, Internet Explorer le llevará automáticamente a dicho sitio. Si no es así, Internet Explorer le muestra una lista de posibilidades.

History
La función *History* hace un seguimiento de todos los sitios que ha visitado recientemente. Si el texto que escribe coincide con toda o parte de la dirección URL de un sitio que ha visitado antes, Internet Explorer le da la opción de regresar directamente a ese sitio.

Para ver una lista de estos sitios:
1) Haga clic en la flecha desplegable de la barra *Address*.
2) Seleccione http://www.msn.com.

También puede usar el panel *History* haciendo clic en el **botón** *History*.
1) Haga clic en el botón *History*.

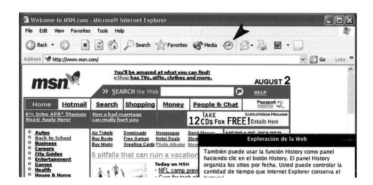

History

El panel *History* organiza los sitios por fecha. Usted puede controlar el plazo de tiempo por el que Internet Explorer conserva el historial.
1) Haga clic de nuevo en el botón *History* para cerrar el panel.

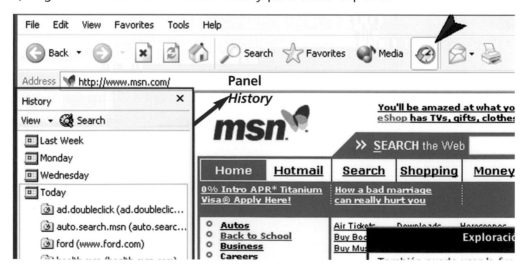

URL: la dirección de internet

El *Uniform Resource Locator* o **URL** es una dirección de internet. Todos los caracteres, barras diagonales, puntos y subrayados de la dirección forman parte de la dirección o URL.

URL

El URL contiene, además, **un nombre de dominio**. Este nombre identifica a la organización que mantiene el sitio. El nombre de dominio termina en una palabra abreviada que distingue el tipo de organización.

> **.com** identifica a una empresa
> **.gov** identifica al gobierno
> **.edu** identifica a un centro educativo

Fíjese en el URL que está en la barra *Address*.
El nombre de dominio del sitio de MSN es: **msn.com**

Lección 2
Uso y organización de sus sitios favoritos

En esta lección, aprenderá a:

- **usar la función *Favorites***
- **organizar la carpeta *Favorites***
- **añadir y eliminar sitios favoritos y cambiarles el nombre**

Éstas son las palabras más importantes de esta lección:

Vocabulario

Favorites	panel de sitios favoritos
Links	vínculos, enlaces
Add	agregar
Add Favorite	agregar un sitio favorito
Organize	organizar
Create Folder	crear una carpeta
Move to Folder	mover a una carpeta
Rename	cambiar el nombre

¡Ahora, a su computadora!

Ahora, ponga el CD-ROM en la computadora y seleccione los ejercicios de esta lección.

Esta guía incluye un resumen práctico de dichos ejercicios. Consúltelo cada vez que desee repasar lo aprendido.

Computación sin Barreras.   QuickSkill 3

| Estatus del curso | Ayuda | Salir de la cuenta | Salir del curso | Usuario QuickSkill: Marcelo |

Internet Explorer 6.0: Introducción   [Tome la evaluación]

Información general: En este curso, usted explorará los componentes principales de la ventana de Internet Explorer 6.0, encontrará sitios Web que contienen información útil y utilizará la opción Favorites para crear vínculos a sitios útiles. También explorará cómo utilizar Outlook Express para enviar y recibir correo electrónico, descargar y utilizar archivos y utilizar Address Book. Usará el cuadro de diálogo Internet Options para cambiar las configuraciones y personalizar su página principal y utilizará también Content Advisor. Examinará el acceso a imágenes en la Web. Por último, observará las características P3P y cambiará configuraciones.

		Progreso	Recomendación
Unidad: Información general sobre Internet Explorer			
La pantalla de Explorer	[Comenzar]	☐	?
Unidad: Explore Internet		Progreso	Recomendación
Exploración de la Web	[Comenzar]	☐	?
Uso y organización de sus sitios favoritos	[Comenzar]	☐	?
Uso de las herramientas de búsqueda	[Comenzar]	☐	?
Uso de directorios en línea	[Comenzar]	☐	?
Unidad: Ayuda		Progreso	Recomendación
Uso del sistema de ayuda de Explorer	[Comenzar]	☐	?
Uso de la ayuda en la Web	[Comenzar]	☐	?
Unidad: Introducción a Outlook Express		Progreso	Recomendación
Uso del correo electrónico con Outlook Express	[Comenzar]	☐	?
Envío de vínculos, datos adjuntos y páginas Web	[Comenzar]	☐	?
Uso de Address Book	[Comenzar]	☐	?
Uso de los grupos de noticias	[Comenzar]	☐	?
Unidad: Acceso a los archivos de Internet		Progreso	Recomendación
Uso de multimedia en la Web	[Comenzar]	☐	?
Descarga de archivos	[Comenzar]	☐	?
Imágenes en la Web	[Comenzar]	☐	?
Unidad: Personalice su configuración de Internet		Progreso	Recomendación
Configuración de las opciones de Internet	[Comenzar]	☐	?
Características y configuración de privacidad	[Comenzar]	☐	?

Descripción de los símbolos: aquí le aconsejamos sobre los cursos que debe tomar o repetir, sobre la base de sus respuestas a la evaluación

? Pendiente

☒ Se recomienda tomarlo

☑ Evaluación pasada con éxito

Resumen práctico

Internet Explorer dispone de una carpeta llamada *Favorites* que incluye vínculos a los sitios que visita con frecuencia. De esta forma, no tendrá que aprenderse la dirección de dichos sitios.

Para ir a esos sitios puede usar el botón *Favorites* o el menú *Favorites*.

Vamos a usar *Favorites* para ir a sitios web específicos.

    1) Haga clic en *Favorites*.

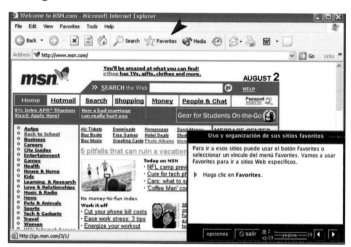

Se abre el panel de sitios favoritos en la ventana de Internet Explorer. Los paneles le permiten ver más de una página web a la vez. Microsoft ha colocado algunas carpetas y sitios web en la carpeta *Favorites* para ayudarle a empezar.

    1) Seleccione la carpeta *Links*.

La carpeta se expande para mostrarle los vínculos a diversos recursos de Microsoft en la web. Hay otra forma de ver esos vínculos.

1) En la barra *Address*, haga clic en los paréntesis angulares dobles que están a la derecha del botón *Links*.

Los vínculos que aparecen aquí son un subconjunto de la carpeta *Favorites*. Esta lista es idéntica a la lista de la carpeta *Links* en *Favorites*.

2) Haga clic de nuevo en los paréntesis angulares dobles para cerrar la lista.

3) En la página de inicio de MSN, haga clic en el vínculo *Autos*.

4) En el panel *Favorites*, haga clic en el vínculo MSN.com.

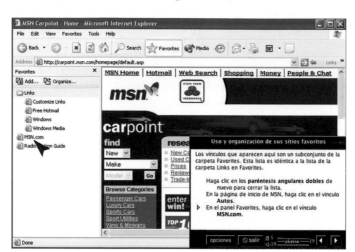

La página de inicio de Microsoft aparece al lado derecho de Internet Explorer, y la carpeta *Favorites* permanece abierta al lado izquierdo.

Cómo añadir sitios a la lista de *Favorites*
Hay varias formas de añadir sitios a la lista *Favorites*.

1) En el panel *Favorites*, haga clic en *Add*.

2) Haga clic en *OK* para añadir el sitio MSN a su carpeta *Favorites*.

A continuación, comprobará que su vínculo está incluido en el panel *Favorites*.
    1) En la página de inicio de MSN, haga clic en el vínculo Autos.

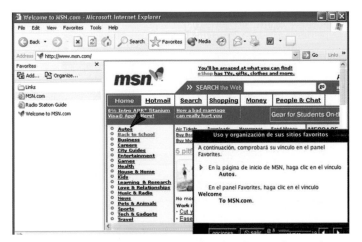

2) En el panel *Favorites*, haga clic en el vínculo *Welcome to MSN.com*.

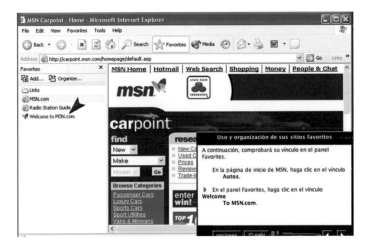

También puede ir directamente a sus sitios favoritos utilizando el menú *Favorites*.
    1) Presione *Favorites*.

Éstos son los mismos sitios que se incluyen en el panel *Favorites*.

2) Presione *Favorites* de nuevo para cerrar el menú.

Cómo organizar los sitios favoritos

Usted puede crear carpetas dentro de *Favorites* para ordenar sus sitios favoritos.

1) En la carpeta *Favorites*, haga clic en *Organize*.

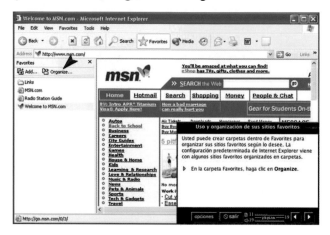

A la derecha del cuadro de diálogo *Organize Favorites*, verá una lista de sus sitios y carpetas favoritas. A la izquierda, hay cuatro botones de organización.

2) Haga clic en *Create Folder*.

botones de organización

sitios y carpetas favoritas

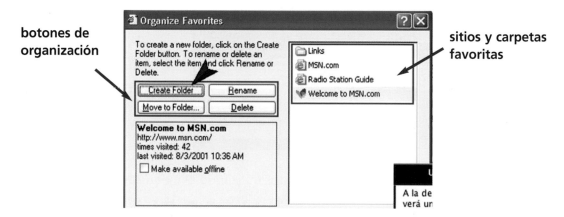

3) Escriba *Search* y presione la tecla *Enter*.

escriba *Search*

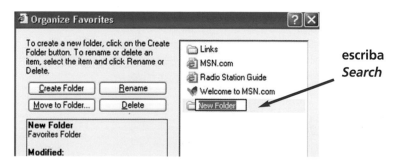

Ahora puede añadir algunos sitios favoritos a la carpeta *Search* que ha creado.

4) Haga clic en *Welcome to MSN.com*.

5) Haga clic en *Move to Folder*.

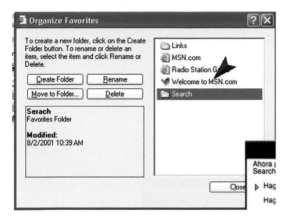 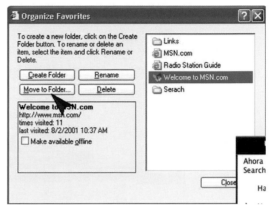

Aparece el cuadro de diálogo *Browse for Folder*. Aquí puede escoger la carpeta de destino para el vínculo seleccionado.

6) Seleccione la carpeta *Search*.
7) Haga clic en *OK*.

8) Haga clic en *Close*.

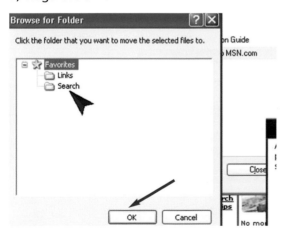 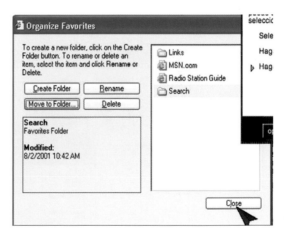

Ahora puede ver su nueva carpeta en el panel *Favorites*.
9) Seleccione la carpeta *Search*.

Cómo cambiar el nombre de sus sitios favoritos
Internet Explorer le permite cambiar el nombre de sus sitios favoritos.

> 1) Haga clic con el botón derecho del ratón en el vínculo
>   *Welcome to MSN.com*.
> 2) Presione *Rename*.

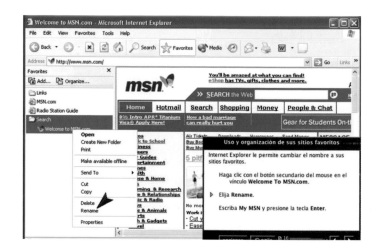

> 3) Escriba "My MSN" y presione la tecla *Enter*.

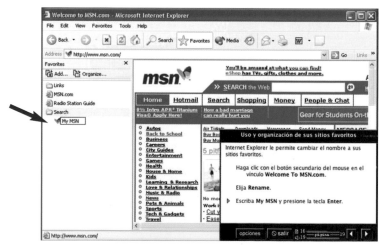

Ahora su vínculo tiene un nuevo nombre.

Cómo eliminar sus sitios favoritos

También puede eliminar fácilmente sus sitios favoritos en el panel *Favorites*.

1) Haga clic con el botón derecho del ratón en el vínculo *My MSN*.
2) Presione *Delete*.

3) Haga clic en *No* en el cuadro que aparece.

4) Haga clic en la X para cerrar el panel *Favorites*.

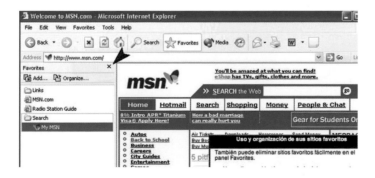

Lección 3
Uso de las herramientas de búsqueda

En esta lección, aprenderá a:
- buscar información en internet

Primero, familiarícese con las palabras más importantes de esta lección.

Vocabulario

Search engine	motor de búsqueda
Search the Web	buscar en la red
Home	inicio
Search operators	operadores o filtros de búsqueda
Quotation marks	comillas
AND	y
AND NOT	y no
What's New	novedades

¡Ahora, a su computadora!

Ahora, ponga el CD-ROM en la computadora y seleccione los ejercicios de esta lección.

Esta guía incluye un resumen práctico de dichos ejercicios. Consúltelo cada vez que desee repasar lo aprendido.

Computación sin Barreras.   QuickSkill 3

| Estatus del curso | Ayuda | Salir de la cuenta | Salir del curso | | Usuario QuickSkill: Marcelo |

Internet Explorer 6.0: Introducción   [Tome la evaluación]

Información general: En este curso, usted explorará los componentes principales de la ventana de Internet Explorer 6.0, encontrará sitios Web que contienen información útil y utilizará la opción Favorites para crear vínculos a sitios útiles. También explorará cómo utilizar Outlook Express para enviar y recibir correo electrónico, descargar y utilizar archivos y utilizar Address Book. Usará el cuadro de diálogo Internet Options para cambiar las configuraciones y personalizar su página principal y utilizará también Content Advisor. Examinará el acceso a imágenes en la Web. Por último, observará las características P3P y cambiará configuraciones.

Unidad: Información general sobre Internet Explorer		**Progreso**	**Recomendación**
La pantalla de Explorer	[Comenzar]	☐	?
Unidad: Explore Internet		**Progreso**	**Recomendación**
Exploración de la Web	[Comenzar]	☐	?
Uso y organización de sus sitios favoritos	[Comenzar]	☐	?
Uso de las herramientas de búsqueda	[Comenzar]	☐	?
Uso de directorios en línea	[Comenzar]	☐	?
Unidad: Ayuda		**Progreso**	**Recomendación**
Uso del sistema de ayuda de Explorer	[Comenzar]	☐	?
Uso de la ayuda en la Web	[Comenzar]	☐	?
Unidad: Introducción a Outlook Express		**Progreso**	**Recomendación**
Uso del correo electrónico con Outlook Express	[Comenzar]	☐	?
Envío de vínculos, datos adjuntos y páginas Web	[Comenzar]	☐	?
Uso de Address Book	[Comenzar]	☐	?
Uso de los grupos de noticias	[Comenzar]	☐	?
Unidad: Acceso a los archivos de Internet		**Progreso**	**Recomendación**
Uso de multimedia en la Web	[Comenzar]	☐	?
Descarga de archivos	[Comenzar]	☐	?
Imágenes en la Web	[Comenzar]	☐	?
Unidad: Personalice su configuración de Internet		**Progreso**	**Recomendación**
Configuración de las opciones de Internet	[Comenzar]	☐	?
Características y configuración de privacidad	[Comenzar]	☐	?

Descripción de los símbolos: aquí le aconsejamos sobre los cursos que debe tomar o repetir, sobre la base de sus respuestas a la evaluación

? Pendiente
☒ Se recomienda tomarlo
☑ Evaluación pasada con éxito

Resumen práctico

Motor de búsqueda

Para buscar información en internet, también se puede usar el motor de búsqueda o *Search Engine*.

El motor de búsqueda es un programa que busca en internet los documentos relacionados con las palabras y frases que usted escriba. Se presentará una lista de documentos que incluyan dichas palabras y frases.

MSN tiene su propio motor de búsqueda y también le da acceso a los motores de búsqueda más populares en la página de inicio.

Vamos a buscar información relacionada con el café.

1) Haga clic en el cuadro de texto *Search the Web*.
2) Escriba "coffee" y haga clic en *Go*.

Aparece una lista de sitios con la palabra *coffee* en la ventana de Internet Explorer.

1) Haga clic en el primer vínculo de resultados sobre "coffee".
2) Haga clic en *Home* para regresar a la página de inicio de MSN.

Operadores de búsqueda

Para hacer una búsqueda más precisa, puede usar operadores de búsqueda.

Los operadores de búsqueda son símbolos, palabras y signos de puntuación que puede usar para que sus búsquedas sean más específicas.

Las comillas son los operadores más útiles. Si escribe entre comillas una consulta que tenga más de una palabra, obtendrá resultados relacionados con la frase exacta. Si no usa comillas, los resultados también mostrarán sitios que sólo tienen algunas de las palabras que ha escrito.

> 1) Haga clic en el cuadro de texto *Search the Web*.
> 2) Escriba "internet service providers" y presione la tecla *Enter*.

En la ventana se muestran los 15 primeros resultados de un total de 1204 sitios que contienen el texto "internet service providers".

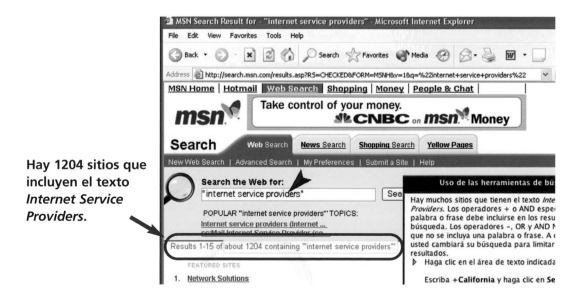

Hay 1204 sitios que incluyen el texto *Internet Service Providers*.

Para reducir la cantidad de resultados, se usan otros operadores.

Los operadores **+** (signo más) y **AND** especifican que una palabra o frase debe incluirse en los resultados de la búsqueda.

Los operadores **-** (signo menos), **OR** y **AND NOT** especifican que **no** se incluya una palabra o frase.

Vamos a cambiar la búsqueda para limitar la cantidad de resultados.

    1) Haga clic en el área de texto indicada.

    2) Escriba "+California" y haga clic en *Search*.

La búsqueda se limitó sólo a las páginas web que contienen tanto *Internet Service Providers* como *California*. La lista de resultados se ha reducido a 16 páginas web.

Vamos a identificar otros servicios de búsqueda.

    1) Haga clic en la barra *Address*.

    2) Escriba "www.yahoo.com" y presione la tecla *Enter*.

Yahoo! es uno de los sitios principales de directorios y búsquedas.
1) Haga clic en *What's New*.

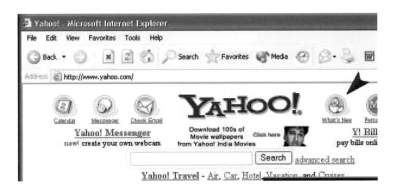

What's New

2) Haga clic con el botón derecho del ratón en el cuadro amarillo.
3) Presione *Add to Favorites*.

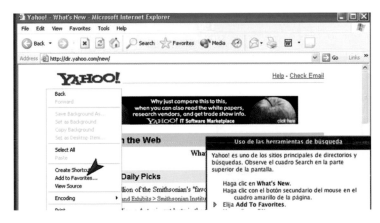

4) Haga clic en *OK*.

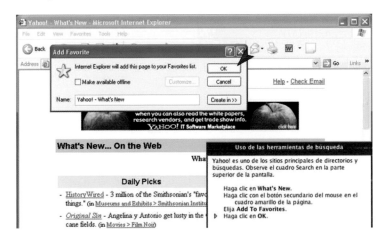

Agregó la página *What's New* de Yahoo! a su lista de *Favorites*. Ahora puede tener acceso a esta página en cualquier momento desde el menú *Favorites*.

Lección 4
Uso de directorios en línea

En esta lección, aprenderá a:
- usar los directorios y los servicios de mapas de internet

Primero, familiarícese con las palabras más importantes de esta lección.

Vocabulario

LOOK IT UP	búsquelo
White pages	páginas blancas
Last Name	apellido
First Name	nombre
Initial	inicial
City	ciudad
State/Province	estado / provincia
Country	país
Find	encontrar
Yellow pages	páginas amarillas
Enter a business name or type	ingrese el nombre de la compañía o el tipo de negocio
Map/directions	mapa / direcciones
Get driving directions from	recibir direcciones para manejar desde...
My other address	mi otra dirección
Street Address	calle
Zip Code	código postal

¡Ahora, a su computadora!

Ahora, ponga el CD-ROM en la computadora y seleccione los ejercicios de esta lección.

Esta guía incluye un resumen práctico de dichos ejercicios. Consúltelo cada vez que desee repasar lo aprendido.

Computación sin Barreras.   QuickSkill 3

Estatus del curso   Ayuda   Salir de la cuenta   Salir del curso   Usuario QuickSkill: Marcelo

Internet Explorer 6.0: Introducción   [Tome la evaluación]

Información general: En este curso, usted explorará los componentes principales de la ventana de Internet Explorer 6.0, encontrará sitios Web que contienen información útil y utilizará la opción Favorites para crear vínculos a sitios útiles. También explorará cómo utilizar Outlook Express para enviar y recibir correo electrónico, descargar y utilizar archivos y utilizar Address Book. Usará el cuadro de diálogo Internet Options para cambiar las configuraciones y personalizar su página principal y utilizará también Content Advisor. Examinará el acceso a imágenes en la Web. Por último, observará las características P3P y cambiará configuraciones.

		Progreso	Recomendación
Unidad: Información general sobre Internet Explorer			
La pantalla de Explorer	[Comenzar]	☐	?
Unidad: Explore Internet		**Progreso**	**Recomendación**
Exploración de la Web	[Comenzar]	☐	?
Uso y organización de sus sitios favoritos	[Comenzar]	☐	?
Uso de las herramientas de búsqueda	[Comenzar]	☐	?
Uso de directorios en línea	[Comenzar]	☐	?
Unidad: Ayuda		**Progreso**	**Recomendación**
Uso del sistema de ayuda de Explorer	[Comenzar]	☐	?
Uso de la ayuda en la Web	[Comenzar]	☐	?
Unidad: Introducción a Outlook Express		**Progreso**	**Recomendación**
Uso del correo electrónico con Outlook Express	[Comenzar]	☐	?
Envío de vínculos, datos adjuntos y páginas Web	[Comenzar]	☐	?
Uso de Address Book	[Comenzar]	☐	?
Uso de los grupos de noticias	[Comenzar]	☐	?
Unidad: Acceso a los archivos de Internet		**Progreso**	**Recomendación**
Uso de multimedia en la Web	[Comenzar]	☐	?
Descarga de archivos	[Comenzar]	☐	?
Imágenes en la Web	[Comenzar]	☐	?
Unidad: Personalice su configuración de Internet		**Progreso**	**Recomendación**
Configuración de las opciones de Internet	[Comenzar]	☐	?
Características y configuración de privacidad	[Comenzar]	☐	?

Descripción de los símbolos: aquí le aconsejamos sobre los cursos que debe tomar o repetir, sobre la base de sus respuestas a la evaluación

? Pendiente

☒ Se recomienda tomarlo

☑ Evaluación pasada con éxito

Resumen práctico

Internet ofrece muchos servicios diseñados para la búsqueda de direcciones, números de teléfono y direcciones de correo electrónico de personas y negocios. Los servicios de búsqueda de direcciones personales se conocen generalmente como "White Pages". Los servicios de búsqueda de negocios se denominan a menudo "Yellow Pages".

Directorios personales o *White Pages*
Vamos a usar un directorio en línea para encontrar a John Smith.

1) Haga clic en el vínculo *More* para ver una página con más vínculos.

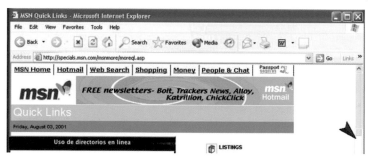

2) Haga clic en la zona indicada para desplazarse hacia abajo.

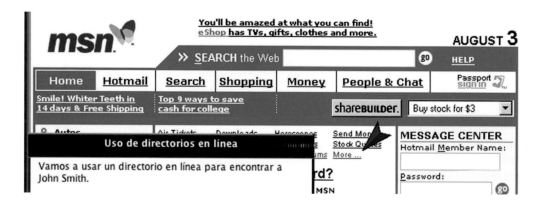

3) En *Look It Up*, haga clic en el vínculo *White Pages*.

Aquí puede buscar números de teléfono y direcciones.

1) Haga clic en el campo *Last Name*.
2) Escriba "Smith" y presione la tecla *Tab*.
3) Escriba "John" y presione la tecla *Tab*.
4) En el campo *City*, escriba "Chicago".
5) Haga clic en la flecha desplegable *State/Province* y seleccione *Illinois*.
6) Haga clic en la zona indicada para mostrar el resto de la página.

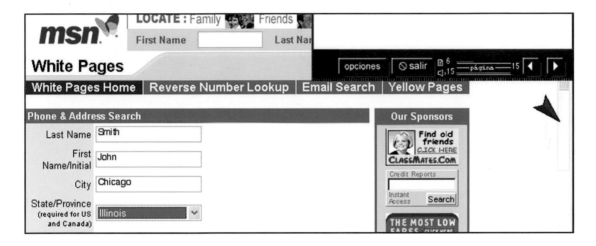

7) Haga clic en *Find*.

En la página *White Pages Results*, puede hacer clic en un vínculo de John Smith para ir a otra página con más información o añadir el vínculo de uno de los John Smith a Outlook.

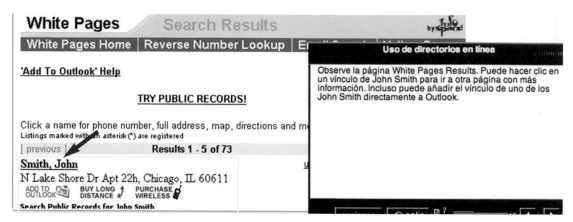

Directorios comerciales o *Yellow Pages*

Ahora examinemos los directorios de negocios. Vamos a buscar la dirección del estadio de béisbol Wrigley Field.

    1) Haga clic en el vínculo *Yellow Pages*.

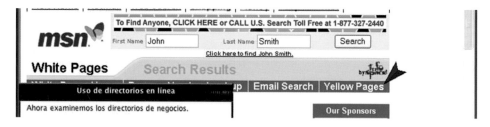

    2) Haga clic en el campo *Enter a business name or type*.
    3) Escriba "Wrigley Field" y presione la tecla *Tab*.
    4) Escriba "Chicago".
    5) Haga clic en la flecha desplegable junto a *State*.
    6) Seleccione *Illinois*.
    7) Haga clic en *Search*.

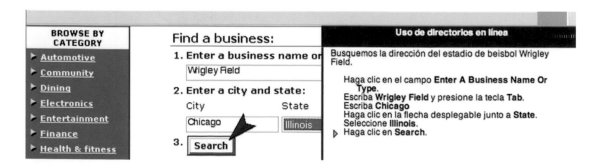

Ésta es la dirección de Wrigley Field. Pero a veces, queremos saber cómo ir de una dirección a otra. Para hacerlo:

1) Haga clic en el primer vínculo titulado *Map/Directions*.

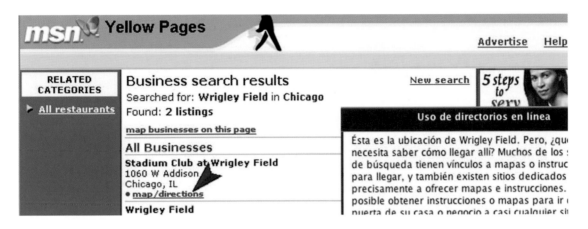

Para obtener instrucciones para ir de un lugar a otro, debe especificar la dirección desde la que va empezar el recorrido.

1) Haga clic en la zona indicada para desplazarse hacia abajo.
2) Haga clic en la flecha desplegable junto a *Get driving directions from*.
3) Seleccione *My other address*.
4) Haga clic en *Go*.

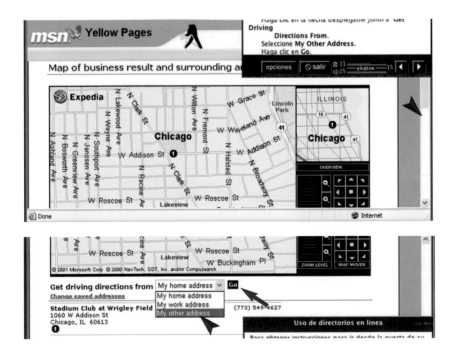

Va a empezar desde la torre Sears en Chicago, Illinois.

1) Haga clic en *Street Address*.
2) Escriba "233 South Wacker Drive" y presione *Tab*.
3) Escriba "Chicago".
4) Haga clic en la flecha desplegable junto a *State*.
5) Seleccione *Illinois* y presione la tecla *Tab*.
6) Escriba "60606".
7) Presione la tecla *Enter*.

Aparece un mapa en la parte superior de la página que le muestra la ruta a seguir. También aparecen instrucciones detalladas al final de la página.

8) Haga clic en la zona indicada para desplazarse hacia abajo.

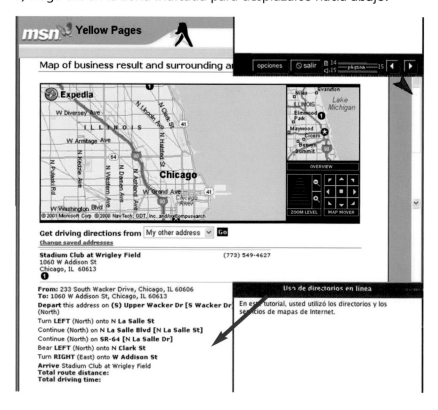

Unidad

Ayuda

Esta unidad consta de 2 lecciones:

1. Uso del sistema de ayuda de Explorer
2. Uso de la ayuda en la web

Lección 1
Uso del sistema de ayuda de Explorer

En esta lección:
- se familiarizará con la lista de temas y el índice de ayuda
- buscará temas de ayuda y añadirá temas a la carpeta *Help Favorites*

Primero, familiarícese con las palabras más importantes de esta lección.

Vocabulario

Help	ayuda
Contents	lista de temas de ayuda
Index	índice
Search	búsqueda
Favorites	temas de ayuda favoritos
Finding the Web Pages You Want	encontrar las páginas web que busca
Changing your home page	cambiar su página de Inicio
Listing your favorite places for quick viewing	hacer una lista de páginas favoritas para verlas rápidamente
Add a page to your list of favorite pages	agregue una página a su lista de páginas favoritas
Adding to the desktop	agregar al escritorio
Display	mostrar
List Topics	lista de temas
Cookies	archivos que guardan información personal

¡Ahora, a su computadora!

Ahora, ponga el CD-ROM en la computadora y seleccione los ejercicios de esta lección.

Esta guía incluye un resumen práctico de dichos ejercicios. Consúltelo cada vez que desee repasar lo aprendido.

Computación sin Barreras.
QuickSkill 3

| Estatus del curso | Ayuda | Salir de la cuenta | Salir del curso | | Usuario QuickSkill: Marcelo |

Internet Explorer 6.0: Introducción

Tome la evaluación

Información general: En este curso, usted explorará los componentes principales de la ventana de Internet Explorer 6.0, encontrará sitios Web que contienen información útil y utilizará la opción Favorites para crear vínculos a sitios útiles. También explorará cómo utilizar Outlook Express para enviar y recibir correo electrónico, descargar y utilizar archivos y utilizar Address Book. Usará el cuadro de diálogo Internet Options para cambiar las configuraciones y personalizar su página principal y utilizará también Content Advisor. Examinará el acceso a imágenes en la Web. Por último, observará las características P3P y cambiará configuraciones.

Unidad: Información general sobre Internet Explorer		Progreso	Recomendación
La pantalla de Explorer	Comenzar	☐	?
Unidad: Explore Internet		**Progreso**	**Recomendación**
Exploración de la Web	Comenzar	☐	?
Uso y organización de sus sitios favoritos	Comenzar	☐	?
Uso de las herramientas de búsqueda	Comenzar	☐	?
Uso de directorios en línea	Comenzar	☐	?
Unidad: Ayuda		**Progreso**	**Recomendación**
Uso del sistema de ayuda de Explorer	Comenzar	☐	?
Uso de la ayuda en la Web	Comenzar	☐	?
Unidad: Introducción a Outlook Express		**Progreso**	**Recomendación**
Uso del correo electrónico con Outlook Express	Comenzar	☐	?
Envío de vínculos, datos adjuntos y páginas Web	Comenzar	☐	?
Uso de Address Book	Comenzar	☐	?
Uso de los grupos de noticias	Comenzar	☐	?
Unidad: Acceso a los archivos de Internet		**Progreso**	**Recomendación**
Uso de multimedia en la Web	Comenzar	☐	?
Descarga de archivos	Comenzar	☐	?
Imágenes en la Web	Comenzar	☐	?
Unidad: Personalice su configuración de Internet		**Progreso**	**Recomendación**
Configuración de las opciones de Internet	Comenzar	☐	?
Características y configuración de privacidad	Comenzar	☐	?

Descripción de los símbolos: aquí le aconsejamos sobre los cursos que debe tomar o repetir, sobre la base de sus respuestas a la evaluación

? Pendiente
☒ Se recomienda tomarlo
☑ Evaluación pasada con éxito

Resumen práctico

Internet Explorer dispone de un sistema de ayuda en línea al que se accede de 2 formas:
- Presionando *Help* > *Contents and Index*
- Presionando la tecla F1

   1) Presione *Help* > *Contents and Index*.

En el panel de la izquierda, la ventana *Help* le ofrece cuatro métodos para usar el sistema: *Contents*, *Index*, *Search* y *Favorites*.
El panel de la derecha contiene un tema de ayuda.

Contents

   1) Haga clic en el tema general *Finding the Web Pages You Want*.

fichas del panel de la izquierda →

tema de ayuda

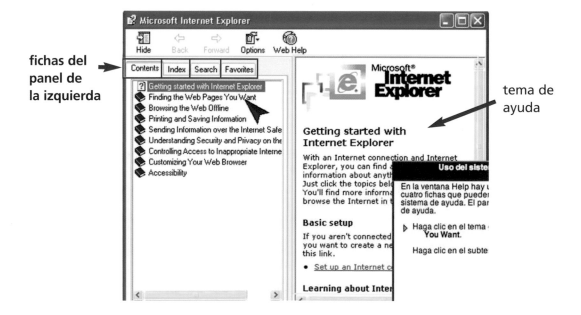

2) Haga clic en el subtema *Changing your home page.*

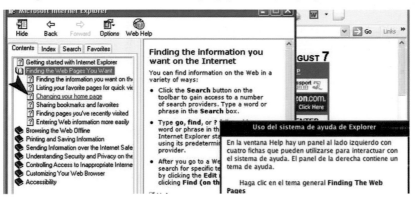

La información sobre el tema aparece en el panel de la derecha.

3) Haga clic en el subtema, *Listing your favorite pages for quick viewing.*

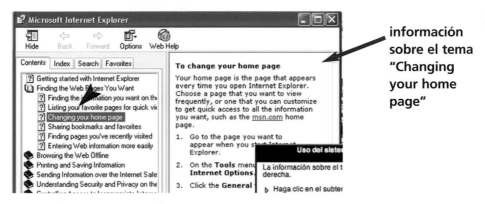

información sobre el tema "Changing your home page"

Es posible añadir sitios que visita con frecuencia a la barra *Links.*

1) Haga clic en el tema *Add a page to your list of favorite pages.*

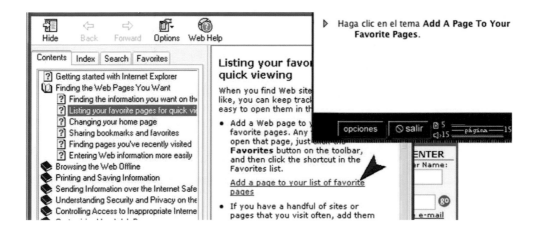

▷ Haga clic en el tema **Add A Page To Your Favorite Pages**.

Index

Ahora que ya ha visto la lista de temas, veamos el funcionamiento del índice. La ficha *Index* le permite buscar temas usando palabras clave.

1) Seleccione la ficha *Index*.

Aquí puede escribir una palabra para ver temas que empiezan con dicha palabra.

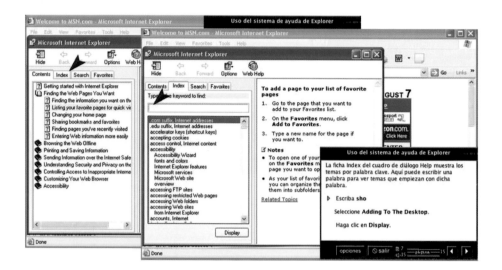

2) Escriba "sho".
3) Seleccione *adding to the desktop*.
4) Haga clic en *Display*.

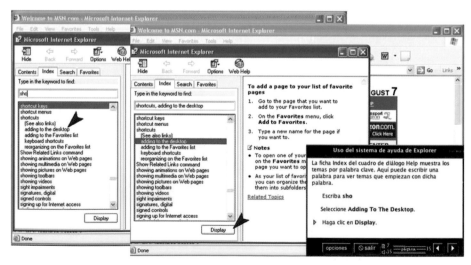

La información sobre el tema seleccionado aparece en el panel de la derecha.

1) Seleccione la ficha *Search*.

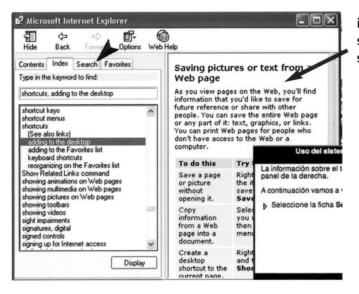

información
sobre el tema
seleccionado

Search

Vamos a ver las opciones de búsqueda.

En el sistema de ayuda, puede buscar una palabra o frase en todo el texto. Puede buscar palabras clave en el contenido de los temas de ayuda, en vez de buscar sólo en los títulos.

1) En el cuadro de texto *Type in the keyword to find*, escriba "cookies".

2) Haga clic en *List Topics*.

Aparecen todos los temas relacionados con *cookies*.

3) Seleccione *Understanding cookies*.

4) Haga clic en *Display*.

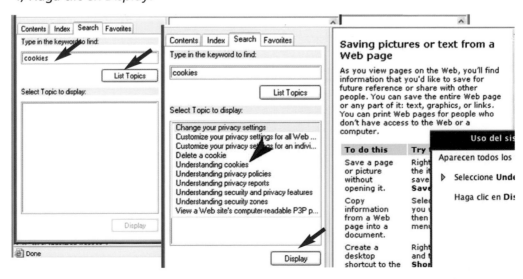

Aparece la información sobre *cookies*.
  1) Seleccione la ficha *Favorites*.

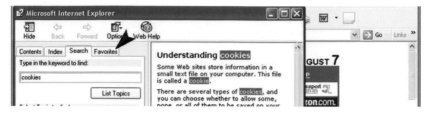

Favorites

En *Favorites*, puede colocar temas de ayuda para verlos con facilidad. Fíjese en el cuadro *Current Topic*; muestra el nombre del último tema que ha examinado.
Vamos a añadir el tema *Understanding cookies* a la lista de temas de ayuda favoritos.

  1) Haga clic en *Add*.

Current topic
significa "tema
actual" y muestra
el tema
"Understanding
cookies".

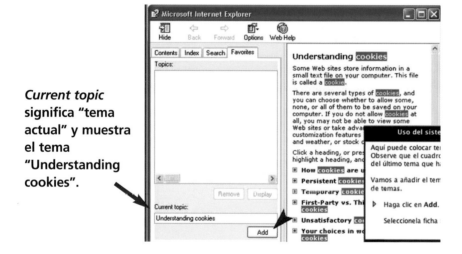

  2) Seleccione la ficha *Index*.

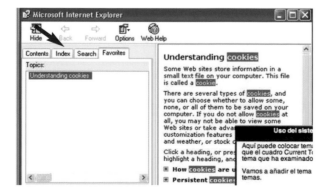

Ahora vamos a comprobar el tema favorito que acabamos de añadir.

1) Haga clic en el área indicada del cuadro del texto.
2) Mantenga presionada la tecla *Shift* y haga clic en el área indicada para seleccionar el texto que está en el cuadro de texto.
3) Escriba "address bar".
4) Seleccione *Hiding*.
5) Haga clic en *Display*.

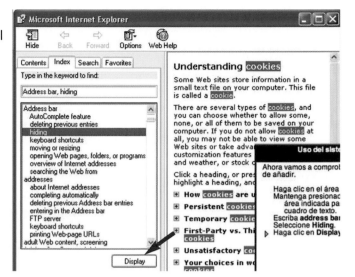

El tema que acaba de ver permanece en el panel de la derecha. Sin embargo, no aparece en la lista *Topics* de *Favorites*.

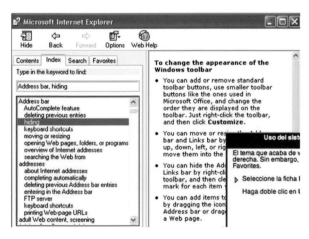

1) Seleccione la ficha *Favorites*.
2) Haga doble clic en *Understanding cookies*.

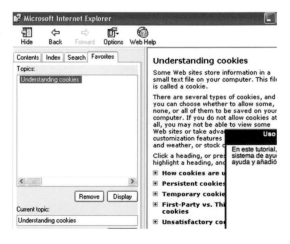

Lección 2
Uso de la ayuda en la web

En esta lección:
- buscará ayuda en internet

Primero, familiarícese con las palabras más importantes de esta lección.

Vocabulario

Web Help	ayuda en la red
Support Online	asistencia técnica en línea
For Netscape Users	para usuarios de Netscape

¡Ahora, a su computadora!

Ahora, ponga el CD-ROM en la computadora y seleccione los ejercicios de esta lección.

Esta guía incluye un resumen práctico de dichos ejercicios. Consúltelo cada vez que desee repasar lo aprendido.

Computación sin Barreras.

QuickSkill 3

| Estatus del curso | Ayuda | Salir de la cuenta | Salir del curso | Usuario QuickSkill: Marcelo |

Internet Explorer 6.0: Introducción

Tome la evaluación

Información general: En este curso, usted explorará los componentes principales de la ventana de Internet Explorer 6.0, encontrará sitios Web que contienen información útil y utilizará la opción Favorites para crear vínculos a sitios útiles. También explorará cómo utilizar Outlook Express para enviar y recibir correo electrónico, descargar y utilizar archivos y utilizar Address Book. Usará el cuadro de diálogo Internet Options para cambiar las configuraciones y personalizar su página principal y utilizará también Content Advisor. Examinará el acceso a imágenes en la Web. Por último, observará las características P3P y cambiará configuraciones.

		Progreso	Recomendación
Unidad: Información general sobre Internet Explorer			
La pantalla de Explorer	Comenzar	☐	?
Unidad: Explore Internet		**Progreso**	**Recomendación**
Exploración de la Web	Comenzar	☐	?
Uso y organización de sus sitios favoritos	Comenzar	☐	?
Uso de las herramientas de búsqueda	Comenzar	☐	?
Uso de directorios en línea	Comenzar	☐	?
Unidad: Ayuda		**Progreso**	**Recomendación**
Uso del sistema de ayuda de Explorer	Comenzar	☐	?
Uso de la ayuda en la Web	Comenzar	☐	?
Unidad: Introducción a Outlook Express		**Progreso**	**Recomendación**
Uso del correo electrónico con Outlook Express	Comenzar	☐	?
Envío de vínculos, datos adjuntos y páginas Web	Comenzar	☐	?
Uso de Address Book	Comenzar	☐	?
Uso de los grupos de noticias	Comenzar	☐	?
Unidad: Acceso a los archivos de Internet		**Progreso**	**Recomendación**
Uso de multimedia en la Web	Comenzar	☐	?
Descarga de archivos	Comenzar	☐	?
Imágenes en la Web	Comenzar	☐	?
Unidad: Personalice su configuración de Internet		**Progreso**	**Recomendación**
Configuración de las opciones de Internet	Comenzar	☐	?
Características y configuración de privacidad	Comenzar	☐	?

Descripción de los símbolos: aquí le aconsejamos sobre los cursos que debe tomar o repetir, sobre la base de sus respuestas a la evaluación

? Pendiente

☒ Se recomienda tomarlo

☑ Evaluación pasada con éxito

Resumen práctico

Además del sistema de ayuda en línea, Internet Explorer le permite conseguir ayuda en los sitios web que proprocionan asistencia técnica y sugerencias.

Aunque el sistema de ayuda está en el disco duro de su sistema, Internet Explorer le ofrece varias maneras de buscar ayuda en la web.

1) Presione *Help > Contents and Index*.

2) Haga clic en *Web Help*.

3) Haga clic en el vínculo *Support Online*.

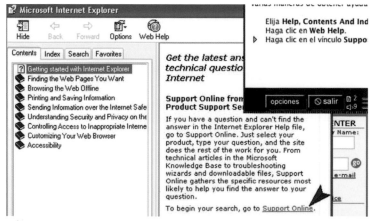

El sistema de ayuda le muestra la página Microsoft Support. Microsoft actualiza constantemente esta página para ofrecer al usuario la información más reciente sobre asistencia técnica.

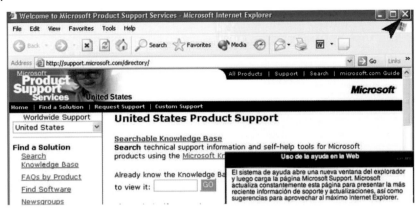

Vamos a utilizar los comandos del menú *Help* basados en la web.

1) Presione *Help*.

El menú *Help* tiene varias opciones. Algunas de éstas le dirigen a páginas web.

2) Seleccione *For Netscape Users*.

En la pantalla aparecen sugerencias para utilizar Internet Explorer destinadas a quienes han utilizado Netscape.

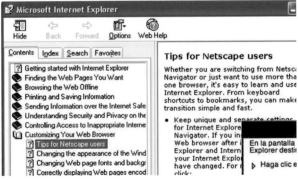

3) Haga clic en la X para cerrar la ventana *Help*.

1) Presione *Help > Online Support.*

Es el mismo sitio *Web Help* que visitó antes en esta lección.

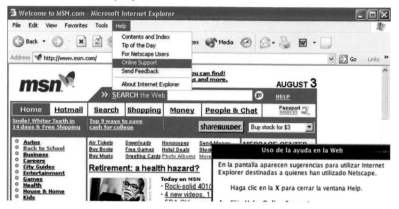

2) Presione *Help > Send Feedback.*

Si tiene alguna pregunta, puede ponerse en contacto con Microsoft desde esta página.

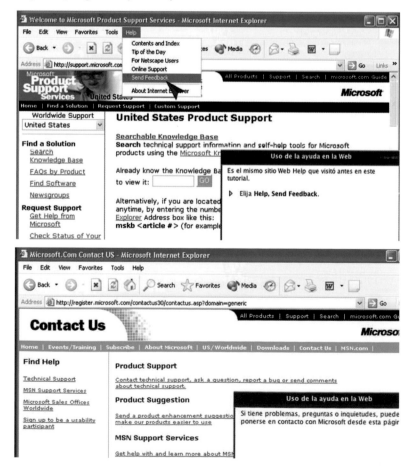

Unidad

4

Introducción a Outlook Express

La unidad consta de 4 lecciones:

1. Uso del correo electrónico con Outlook Express
2. Envío de vínculos, archivos adjuntos y páginas web
3. Uso de *Address Book*
4. Uso de los grupos de noticias

Lección 1
Uso de correo electrónico con Outlook Express

En esta lección:
- escribirá y enviará un correo electrónico
- enviará la respuesta a un correo electrónico
- guardará el borrador de un mensaje
- se familiarizará con las normas de cortesía de internet

Primero, familiarícese con las palabras más importantes de esta lección.

Vocabulario

Mail	correo
Read Mail	leer el correo
Inbox	buzón de entrada de correo
Folder pane	cuadro de carpetas
Message pane	cuadro de mensajes
Contacts list	lista de contactos
Preview pane	cuadro del texto del mensaje
Create mail	crear un mensaje electrónico
Subject	tema o asunto del correo electrónico
Send	enviar
Reply	contestar
Draft	borrador
Don't show me this again.	No me muestre ésto otra vez.
Net etiquette	normas de cortesía en internet
Spam mail	correo chatarra

¡Ahora, a su computadora!

Ahora, ponga el CD-ROM en la computadora y seleccione los ejercicios de esta lección.

Esta guía incluye un resumen práctico de dichos ejercicios. Consúltelo cada vez que desee repasar lo aprendido.

Computación sin Barreras.   QuickSkill 3

| Estatus del curso | Ayuda | Salir de la cuenta | Salir del curso | Usuario QuickSkill: Marcelo |

Internet Explorer 6.0: Introducción   [Tome la evaluación]

Información general: En este curso, usted explorará los componentes principales de la ventana de Internet Explorer 6.0, encontrará sitios Web que contienen información útil y utilizará la opción Favorites para crear vínculos a sitios útiles. También explorará cómo utilizar Outlook Express para enviar y recibir correo electrónico, descargar y utilizar archivos y utilizar Address Book. Usará el cuadro de diálogo Internet Options para cambiar las configuraciones y personalizar su página principal y utilizará también Content Advisor. Examinará el acceso a imágenes en la Web. Por último, observará las características P3P y cambiará configuraciones.

Unidad: Información general sobre Internet Explorer		Progreso	Recomendación
La pantalla de Explorer	[Comenzar]	☐	?
Unidad: Explore Internet		**Progreso**	**Recomendación**
Exploración de la Web	[Comenzar]	☐	?
Uso y organización de sus sitios favoritos	[Comenzar]	☐	?
Uso de las herramientas de búsqueda	[Comenzar]	☐	?
Uso de directorios en línea	[Comenzar]	☐	?
Unidad: Ayuda		**Progreso**	**Recomendación**
Uso del sistema de ayuda de Explorer	[Comenzar]	☐	?
Uso de la ayuda en la Web	[Comenzar]	☐	?
Unidad: Introducción a Outlook Express		**Progreso**	**Recomendación**
Uso del correo electrónico con Outlook Express	[Comenzar]	☐	?
Envío de vínculos, datos adjuntos y páginas Web	[Comenzar]	☐	?
Uso de Address Book	[Comenzar]	☐	?
Uso de los grupos de noticias	[Comenzar]	☐	?
Unidad: Acceso a los archivos de Internet		**Progreso**	**Recomendación**
Uso de multimedia en la Web	[Comenzar]	☐	?
Descarga de archivos	[Comenzar]	☐	?
Imágenes en la Web	[Comenzar]	☐	?
Unidad: Personalice su configuración de Internet		**Progreso**	**Recomendación**
Configuración de las opciones de Internet	[Comenzar]	☐	?
Características y configuración de privacidad	[Comenzar]	☐	?

Descripción de los símbolos: aquí le aconsejamos sobre los cursos que debe tomar o repetir, sobre la base de sus respuestas a la evaluación

? Pendiente
☒ Se recomienda tomarlo
☑ Evaluación pasada con éxito

Resumen práctico

Para enviar un correo electrónico, debe escribir la dirección correcta. Las direcciones de correo electrónico tienen el siguiente formato:

nombredelusuario@nombredelhost.com

El nombre del *host* es el nombre de la compañía que le proporciona el servicio de correo electrónico en internet. Si está enviando un mensaje a un usuario que utiliza el mismo servicio que usted, puede omitir el nombre de la compañía.

El nombre del usuario puede ser prácticamente cualquier cosa (letras y números), pero debe ser único en la compañía que le proporciona el servicio de correo electrónico.

Escribir y enviar un *e-mail* o correo electrónico

Vamos a crear y enviar un mensaje con Outlook Express:
1) Haga clic en el botón *Mail*.
2) Seleccione *Read Mail*.

botón *Mail*
o correo

Ahora puede ver sus carpetas locales.
3) Seleccione la carpeta *Inbox*.

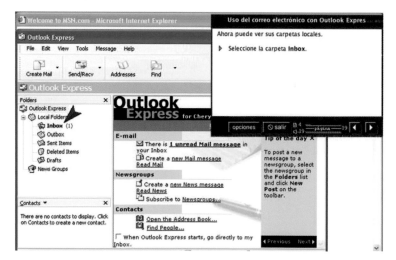

4) Seleccione el mensaje *Welcome to Outlook Express 6*.

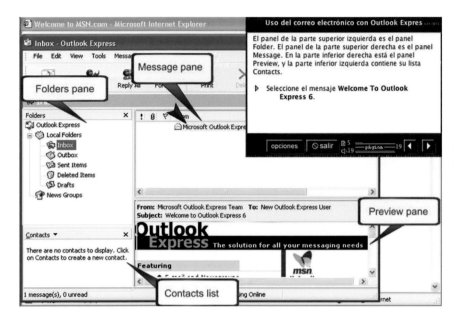

Folder pane
cuadro de carpetas

Message pane
cuadro de mensajes

Preview pane
cuadro de lectura del mensaje

Contact list
lista de contactos

El texto del mensaje aparece en el panel *Preview*.
Ahora, para redactar un nuevo mensaje:

1) Haga clic en *Create Mail*.

2) En el campo *To*, escriba "John_Smith@elementk.com"
3) Haga clic en el campo *Subject*.
4) Escriba "Today's Class" y presione la tecla *Tab*.
5) Escriba "Wow! Using the Internet is fun!".
6) Haga clic en *Send*.

Enviar

Al escribir el tema o asunto del *e-mail* en el campo *Subject*, debe ser lo más específico posible para que le resulte fácil buscar y archivar sus mensajes. Muchas personas reciben docenas de mensajes cada día. Si el tema del *e-mail* no está claro, puede que eliminen el mensaje sin leerlo.

Una vez que haya enviado un mensaje por correo electrónico, no puede recuperarlo. Si no está seguro de si debe o no enviar un mensaje, no lo envíe.

Cómo responder a un *e-mail*

Ahora deberá leer los mensajes de correo electrónico que ha recibido. Si hace doble clic en el mensaje, éste se abrirá en su propia ventana.

Haga doble clic en el mensaje *Welcome to Outlook Express 6*.

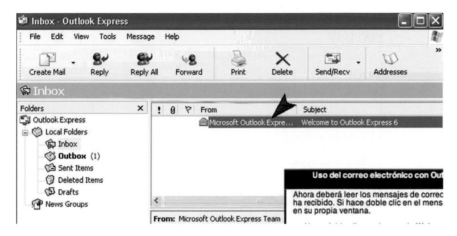

Además del contenido del mensaje, verá una barra de herramientas para administrar el mensaje. Al leer un mensaje en su propia ventana, puede responder al remitente haciendo clic en el botón *Reply*.

    1) Haga clic en *Reply*.

Contestar

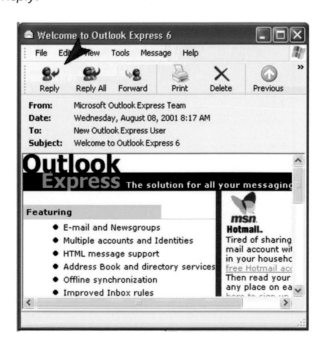

Al hacer clic en *Reply* (que significa responder o contestar), se abre una nueva ventana con:

La dirección de la persona a la que usted está respondiendo.

El texto del *e-mail* que le enviaron.

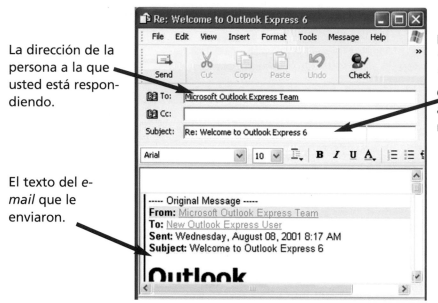

Re: (abreviatura de "reply" o "respuesta") va delante del asunto al que usted está respondiendo.

1) Escriba "This is a reply"
2) Haga clic en *Send*.

Enviar

Cómo guardar un mensaje en forma de borrador

Si empieza a redactar un mensaje y lo interrumpen, puede guardarlo como borrador y terminarlo después. Siga los siguientes pasos:

1) Presione *File > New > Mail Message*.

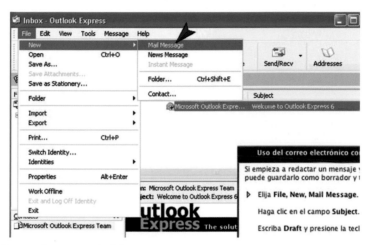

2) Haga clic en el campo *Subject*.
3) Escriba "Draft" y presione la tecla *Tab*.
4) Escriba "I will save this message as a draft".

Guardaré este mensaje como borrador.

Outlook Express guarda los borradores de sus mensajes en la carpeta *Drafts*. Luego, es posible abrir el borrador de un mensaje y enviarlo de la misma forma en que enviaría cualquier mensaje.

Para guardar el mensaje que ha escrito en la carpeta *Drafts*:

1) Presione *File > Save*.

2) Haga clic en *OK*.

3) Haga clic en la X para cerrar la ventana.

4) Seleccione *Drafts* en la lista *Folders*.

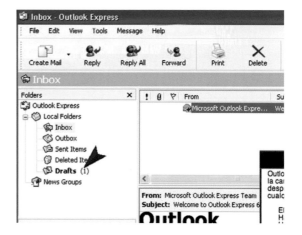

5) Haga doble clic en el mensaje *Drafts*.

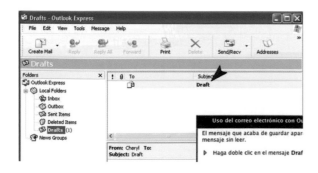
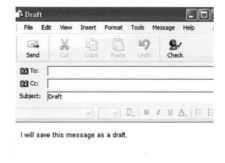

Al hacer doble clic en un mensaje, éste se abre en su propia ventana. En ella, puede modificar su borrador.

Normas de cortesía en internet

Net etiquette: normas de cortesía que deben seguir las personas que envían correo electrónico y que participan en los grupos de noticias. No existe una autoridad central que establezca normas de conducta en internet. Sin embargo, los usuarios tienen la responsabilidad de hacer de la red una comunidad respetuosa.

1. No escriba todo en mayúsculas para dar énfasis. En internet, escribir en mayúsculas equivale a gritar.

2. Limite la longitud de sus renglones a 60 caracteres, pues ése es el límite de algunas pantallas.

3. Tenga cuidado al usar humor y sarcasmo. Puede usar "emoticones" para ayudar a los lectores a entender el tono de su mensaje. Por ejemplo, estos caracteres :-) demuestran alegría. No obstante, estos símbolos se vuelven tediosos y molestos si se usan demasiado.

4. No envíe anuncios publicitarios no solicitados a los usuarios de correo electrónico o de grupos de noticias.

5. No sea grosero ni insulte al responder a un mensaje o anuncio electrónico.

En casos extremos, quienes infringen las normas de cortesía en internet pueden ser "expulsados" de una lista de correo o grupo.

Lección 2
Envío de vínculos, archivos adjuntos y páginas web

En esta lección:
- adjuntará un vínculo, un archivo y una página web
  a su correo electrónico
- abrirá un correo electrónico con un archivo adjunto

Primero, familiarícese con las palabras más importantes de esta lección.

Vocabulario

Attach	adjuntar
Attachment	archivo adjunto
Send an attached file	enviar un archivo adjunto
Send a link	enviar un vínculo
Send a page	enviar una página

¡Ahora, a su computadora!

Ahora, ponga el CD-ROM en la computadora y seleccione los ejercicios de esta lección.

Esta guía incluye un resumen práctico de dichos ejercicios. Consúltelo cada vez que desee repasar lo aprendido.

Computación sin Barreras.   QuickSkill 3

| Estatus del curso | Ayuda | Salir de la cuenta | Salir del curso | Usuario QuickSkill: Marcelo |

Internet Explorer 6.0: Introducción   [Tome la evaluación]

Información general: En este curso, usted explorará los componentes principales de la ventana de Internet Explorer 6.0, encontrará sitios Web que contienen información útil y utilizará la opción Favorites para crear vínculos a sitios útiles. También explorará cómo utilizar Outlook Express para enviar y recibir correo electrónico, descargar y utilizar archivos y utilizar Address Book. Usará el cuadro de diálogo Internet Options para cambiar las configuraciones y personalizar su página principal y utilizará también Content Advisor. Examinará el acceso a imágenes en la Web. Por último, observará las características P3P y cambiará configuraciones.

Unidad: Información general sobre Internet Explorer		Progreso	Recomendación
La pantalla de Explorer	[Comenzar]	☐	?
Unidad: Explore Internet		**Progreso**	**Recomendación**
Exploración de la Web	[Comenzar]	☐	?
Uso y organización de sus sitios favoritos	[Comenzar]	☐	?
Uso de las herramientas de búsqueda	[Comenzar]	☐	?
Uso de directorios en línea	[Comenzar]	☐	?
Unidad: Ayuda		**Progreso**	**Recomendación**
Uso del sistema de ayuda de Explorer	[Comenzar]	☐	?
Uso de la ayuda en la Web	[Comenzar]	☐	?
Unidad: Introducción a Outlook Express		**Progreso**	**Recomendación**
Uso del correo electrónico con Outlook Express	[Comenzar]	☐	?
Envío de vínculos, datos adjuntos y páginas Web	[Comenzar]	☐	?
Uso de Address Book	[Comenzar]	☐	?
Uso de los grupos de noticias	[Comenzar]	☐	?
Unidad: Acceso a los archivos de Internet		**Progreso**	**Recomendación**
Uso de multimedia en la Web	[Comenzar]	☐	?
Descarga de archivos	[Comenzar]	☐	?
Imágenes en la Web	[Comenzar]	☐	?
Unidad: Personalice su configuración de Internet		**Progreso**	**Recomendación**
Configuración de las opciones de Internet	[Comenzar]	☐	?
Características y configuración de privacidad	[Comenzar]	☐	?

Descripción de los símbolos: aquí le aconsejamos sobre los cursos que debe tomar o repetir, sobre la base de sus respuestas a la evaluación

? Pendiente
☒ Se recomienda tomarlo
☑ Evaluación pasada con éxito

Resumen práctico

Enviar un vínculo por *e-mail*

Se pueden enviar documentos creados con procesadores de textos, hojas de cálculo, imágenes u otros archivos por correo electrónico. Tenga en cuenta que, para poder abrir el archivo que usted le envía, el destinatario deberá tener el mismo programa que usted utilizó para crear dicho archivo.

Para enviar un correo electrónico con un vínculo incluido:

      1) Haga clic en el botón *Mail*.
      2) Seleccione *Send a Link*.

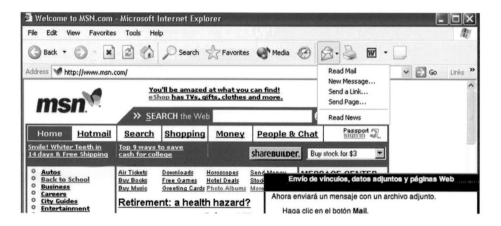

Se abre una nueva ventana de mensaje que ya contiene el vínculo a la página web actual. Ahora sólo tiene que escribir la dirección de correo electrónico del destinatario, el tema o asunto, añadir texto en el campo del mensaje y luego enviar el mensaje.

      3) Haga clic en la X para cerrar la ventana del mensaje.

Enviar un archivo por *e-mail*

Para enviar un mensaje con un archivo adjunto:

1) Haga clic en el botón *Mail*.
2) Seleccione *New Message*.

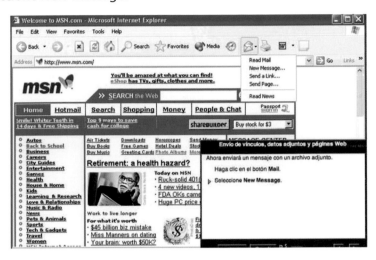

Recuerde que debe incluir un asunto con una descripción muy precisa para aumentar la posibilidad de que su mensaje sea leído.

1) Haga clic en el campo *Subject*.
2) Escriba "See attached file".
3) Haga clic en los comillas angulares dobles y seleccione *Attach*.

En el cuadro de diálogo *Insert Attachment* podrá elegir el directorio en el cual se encuentra el archivo.

1) Seleccione el archivo *Note For Class*.
2) Haga clic en *Attach*.

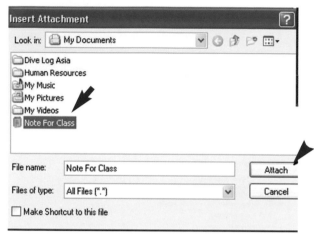

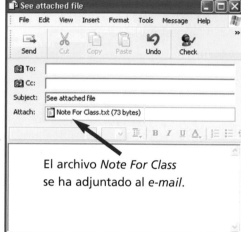

El archivo *Note For Class* se ha adjuntado al e-mail.

El archivo se ha adjuntado al mensaje de correo electrónico.

Enviar una página web por *e-mail*

Para enviar una página web con Outlook Express:

1) Haga clic en el botón *Mail*.
2) Seleccione *Send Page*.

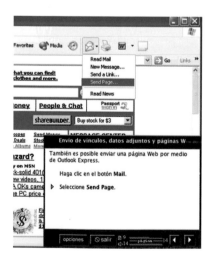

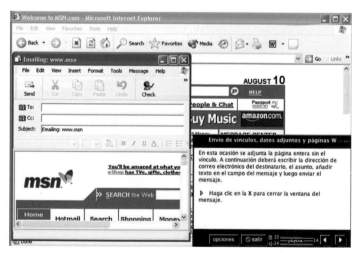

En esta ocasión se adjunta la página entera sin el vínculo. A continuación deberá escribir la dirección de correo electrónico del destinatario, el asunto, añadir texto en el campo del mensaje y luego enviar el mensaje.

Cómo leer o descargar archivos adjuntos

Para leer archivos adjuntos:
      1) Haga clic en el botón *Mail*.
      2) Seleccione *Read Mail*.

leer correo

Ahora veamos un archivo adjunto.
      1) Seleccione la carpeta *Inbox*.
      2) Seleccione el mensaje *See Attached File*.

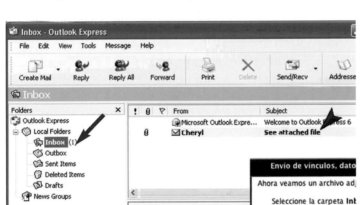

      3) En el panel *Preview*, haga clic en el ícono *Attachment*.
      4) Seleccione *Notes For Class.txt*

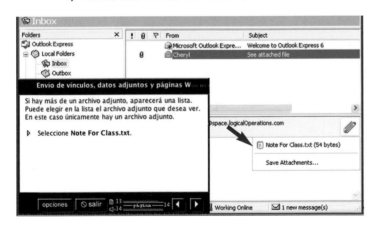

Attachment

Si hay más de un archivo adjunto, aparecerá una lista. Puede elegir en la lista el archivo adjunto que desea ver. En este caso, hay sólo un archivo adjunto.

Lección 3
Uso de *Address Book*

En esta lección, aprenderá a:
- usar la agenda

Primero, familiarícese con las palabras más importantes de esta lección.

Vocabulario	
Contacts	contactos
Addresses	direcciones
Address Book	agenda
E-mail Addresses	direcciones de correo electrónico
Action	acción
Add sender to Address Book	agregar remitente a la agenda

¡Ahora, a su computadora!

Ahora, ponga el CD-ROM en la computadora y seleccione los ejercicios de esta lección.

Esta guía incluye un resumen práctico de dichos ejercicios. Consúltelo cada vez que desee repasar lo aprendido.

Computación sin Barreras.   QuickSkill 3

Estatus del curso   Ayuda   Salir de la cuenta   Salir del curso   Usuario QuickSkill: Marcelo

Internet Explorer 6.0: Introducción   `Tome la evaluación`

Información general: En este curso, usted explorará los componentes principales de la ventana de Internet Explorer 6.0, encontrará sitios Web que contienen información útil y utilizará la opción Favorites para crear vínculos a sitios útiles. También explorará cómo utilizar Outlook Express para enviar y recibir correo electrónico, descargar y utilizar archivos y utilizar Address Book. Usará el cuadro de diálogo Internet Options para cambiar las configuraciones y personalizar su página principal y utilizará también Content Advisor. Examinará el acceso a imágenes en la Web. Por último, observará las características P3P y cambiará configuraciones.

Unidad: Información general sobre Internet Explorer		Progreso	Recomendación
La pantalla de Explorer	`Comenzar`	☐	?
Unidad: Explore Internet		**Progreso**	**Recomendación**
Exploración de la Web	`Comenzar`	☐	?
Uso y organización de sus sitios favoritos	`Comenzar`	☐	?
Uso de las herramientas de búsqueda	`Comenzar`	☐	?
Uso de directorios en línea	`Comenzar`	☐	?
Unidad: Ayuda		**Progreso**	**Recomendación**
Uso del sistema de ayuda de Explorer	`Comenzar`	☐	?
Uso de la ayuda en la Web	`Comenzar`	☐	?
Unidad: Introducción a Outlook Express		**Progreso**	**Recomendación**
Uso del correo electrónico con Outlook Express	`Comenzar`	☐	?
Envío de vínculos, datos adjuntos y páginas Web	`Comenzar`	☐	?
Uso de Address Book	`Comenzar`	☐	?
Uso de los grupos de noticias	`Comenzar`	☐	?
Unidad: Acceso a los archivos de Internet		**Progreso**	**Recomendación**
Uso de multimedia en la Web	`Comenzar`	☐	?
Descarga de archivos	`Comenzar`	☐	?
Imágenes en la Web	`Comenzar`	☐	?
Unidad: Personalice su configuración de Internet		**Progreso**	**Recomendación**
Configuración de las opciones de Internet	`Comenzar`	☐	?
Características y configuración de privacidad	`Comenzar`	☐	?

Descripción de los símbolos: aquí le aconsejamos sobre los cursos que debe tomar o repetir, sobre la base de sus respuestas a la evaluación
? Pendiente
☒ Se recomienda tomarlo
☑ Evaluación pasada con éxito

Resumen práctico

Address Book es una agenda. Almacena los datos personales de sus familiares, amigos o contactos profesionales y le ayuda a organizar los datos de las personas con las que se comunica con frecuencia.

Al contestar a correos electrónicos en Outlook Express, el nombre y la dirección electrónica del destinatario se añaden automáticamente al *Address Book*.

Cómo añadir un contacto a *Address Book*
Para añadir un contacto al *Address Book*:

    1) Haga clic en *Addresses*.

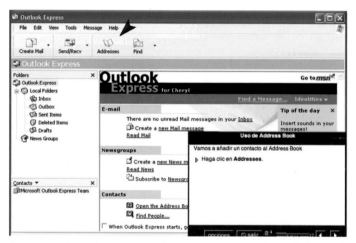

Aquí puede organizar sus direcciones postales y de correo electrónico, números de teléfono y toda clase de información sobre sus contactos personales y profesionales.

    2) Haga clic en *New*.
    3) Seleccione *New Contact*.

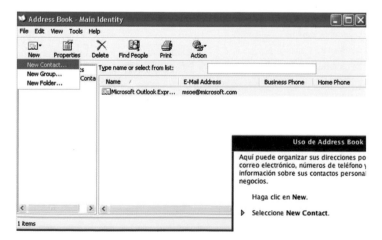

Cada ficha del cuadro de diálogo *Address Book Properties* le permite escribir datos distintos para cada persona. El campo *Display* se rellena automáticamente a medida que usted escribe los nombres y apellidos.

    1) En el campo *First Name* escriba "Londo".
    2) Haga clic en el campo de texto *E-mail Addresses*.
    3) Escriba "lsheridan@funbusiness.com"
    4) Haga clic en *Add*.

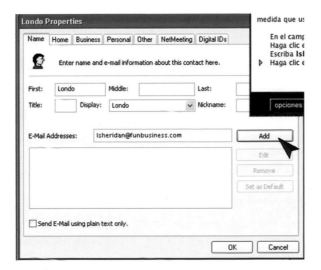

Puede tener varias direcciones de correo electrónico de una misma persona. Utilice el botón *Set as Default* para especificar la dirección que se usará cuando una persona tenga más de una dirección de correo electrónico.

    1) Haga clic en *OK* para cerrar el cuadro de diálogo *Properties*.
Los datos de la persona llamada "Londo" se agregan a su agenda.

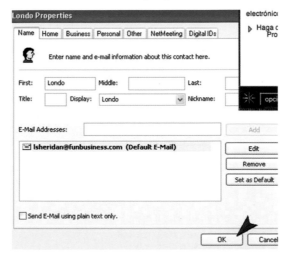

Cómo enviar un *e-mail* a una dirección incluida en el *Address Book*

Vamos a enviar un *e-mail* a Londo.

1) Haga clic en el contacto "Londo" para seleccionarlo.
2) Haga clic en *Action*.
3) Seleccione *Send Mail*.

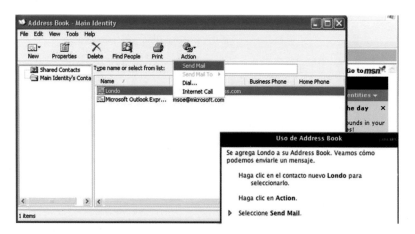

Al seleccionar *Send Mail*, se crea un nuevo mensaje y automáticamente se elige a Londo como destinatario. Si envía un mensaje a una dirección ficticia, recibirá un aviso especificando que su mensaje no se pudo enviar.

1) Haga clic en la X para cerrar el mensaje.
2) Haga clic en la X para cerrar *Address Book*.

Utilizar un acceso rápido para añadir un contacto en el *Address Book*

Hay un acceso rápido para añadir un contacto a su *Address Book*.

1) Seleccione la carpeta *Inbox*.
2) Haga clic con el botón derecho del ratón en el segundo mensaje ("Cheryl").

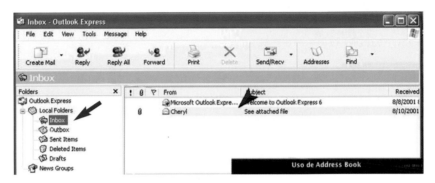

3) Presione *Add Sender to Address Book*.

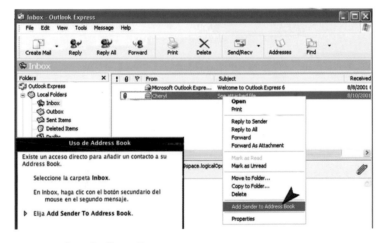

El nuevo contacto se añade a la lista *Contacts*.

"Cheryl" se añadió a la agenda o *Address Book*.

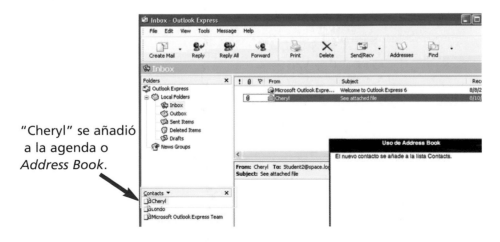

Lección 4
Uso de los grupos de noticias

En esta lección:
- se suscribirá a un grupo de noticias y enviará un mensaje
- cancelará su suscripción

Primero, familiarícese con las palabras más importantes de esta lección.

Vocabulario

Susbcribe   suscribirse
New Post   nueva contribución al grupo de noticias
Unsubscribe   suspender o cancelar la suscripción

¡Ahora, a su computadora!

Ahora, ponga el CD-ROM en la computadora y seleccione los ejercicios de esta lección.

Esta guía incluye un resumen práctico de dichos ejercicios. Consúltelo cada vez que desee repasar lo aprendido.

Computación sin Barreras.   QuickSkill 3

| Estatus del curso | Ayuda | Salir de la cuenta | Salir del curso | Usuario QuickSkill: Marcelo |

Internet Explorer 6.0: Introducción   [Tome la evaluación]

Información general: En este curso, usted explorará los componentes principales de la ventana de Internet Explorer 6.0, encontrará sitios Web que contienen información útil y utilizará la opción Favorites para crear vínculos a sitios útiles. También explorará cómo utilizar Outlook Express para enviar y recibir correo electrónico, descargar y utilizar archivos y utilizar Address Book. Usará el cuadro de diálogo Internet Options para cambiar las configuraciones y personalizar su página principal y utilizará también Content Advisor. Examinará el acceso a imágenes en la Web. Por último, observará las características P3P y cambiará configuraciones.

		Progreso	Recomendación
Unidad: Información general sobre Internet Explorer			
La pantalla de Explorer	[Comenzar]	☐	?
Unidad: Explore Internet		**Progreso**	**Recomendación**
Exploración de la Web	[Comenzar]	☐	?
Uso y organización de sus sitios favoritos	[Comenzar]	☐	?
Uso de las herramientas de búsqueda	[Comenzar]	☐	?
Uso de directorios en línea	[Comenzar]	☐	?
Unidad: Ayuda		**Progreso**	**Recomendación**
Uso del sistema de ayuda de Explorer	[Comenzar]	☐	?
Uso de la ayuda en la Web	[Comenzar]	☐	?
Unidad: Introducción a Outlook Express		**Progreso**	**Recomendación**
Uso del correo electrónico con Outlook Express	[Comenzar]	☐	?
Envío de vínculos, datos adjuntos y páginas Web	[Comenzar]	☐	?
Uso de Address Book	[Comenzar]	☐	?
Uso de los grupos de noticias	[Comenzar]	☐	?
Unidad: Acceso a los archivos de Internet		**Progreso**	**Recomendación**
Uso de multimedia en la Web	[Comenzar]	☐	?
Descarga de archivos	[Comenzar]	☐	?
Imágenes en la Web	[Comenzar]	☐	?
Unidad: Personalice su configuración de Internet		**Progreso**	**Recomendación**
Configuración de las opciones de Internet	[Comenzar]	☐	?
Características y configuración de privacidad	[Comenzar]	☐	?

Descripción de los símbolos: aquí le aconsejamos sobre los cursos que debe tomar o repetir, sobre la base de sus respuestas a la evaluación

? Pendiente
☒ Se recomienda tomarlo
☑ Evaluación pasada con éxito

Resumen práctico

Un grupo de noticias es una colección de mensajes enviados por los usuarios a una computadora. Gracias a los grupos de noticias, los usuarios pueden leer e intercambiar información sobre deportes, pasatiempos, temas de actualidad, etc.

Para ver y colocar mensajes en un grupo de noticias, primero debe suscribirse al mismo.

Cómo suscribirse a un grupo de noticias

1) En el panel *Folders*, haga clic en el ícono *news server* llamado *News Groups*.

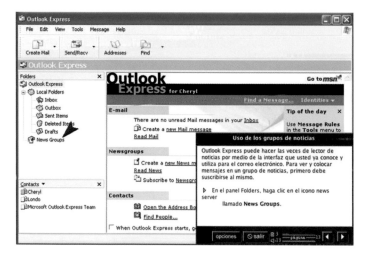

Outlook le informa que aún no se ha suscrito a ningún grupo de noticias y le pregunta si desea ver la lista de los grupos disponibles.

2) Haga clic en *Yes*.

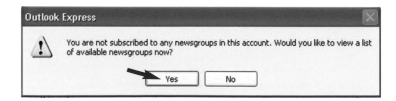

Se muestra una lista de grupos de noticias disponibles. Vamos a elegir uno.

    3) Seleccione el grupo de noticias *control.rmgroup*.

    4) Haga clic en el botón *Subscribe*.

El ícono de suscripción está junto al nombre del grupo de noticias.

    5) Haga clic en *OK* para cerrar el cuadro de diálogo.

Cómo agregar un mensaje a un grupo de noticias

Para ver los artículos en un grupo de noticias, haga clic en el nombre del grupo.

    1) En la lista *Folders*, seleccione *control.rmgroup*.

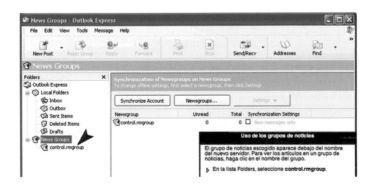

Este grupo de noticias no contiene mensajes. Puede agregar uno.
1) Haga clic en *New Post*.

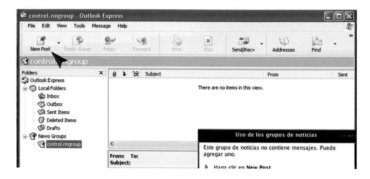

2) Escriba "Outlook Express" y presione la tecla *Tab*.
3) Escriba "Newsgroups are fun!"
4) Haga clic en *Send*.

5) Haga clic en *OK*.

Cómo cancelar la suscripción a un grupo de noticias

Si un determinado grupo de noticias no le parece útil, puede cancelar su suscripción.

1) Haga clic con el botón derecho del ratón en *control.rmgroup.*
2) Presione *Unsubscribe*.

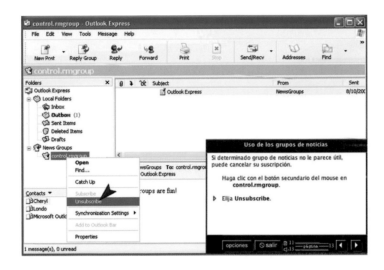

Outlook Express presenta un cuadro de diálogo en el cual se le pide que confirme si desea cancelar su suscripción.

3) Haga clic en *OK*.

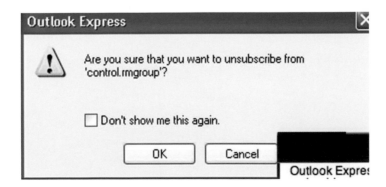

Unidad

5

Acceso a los archivos de internet

Esta unidad consta de las lecciones siguientes:

1. Uso de multimedia en la web
2. Descarga de archivos
3. Imágenes en la web

Lección 1
Uso de multimedia en la web

En esta lección:
- se familiarizará con el panel *media* para ver video
y escuchar música en internet.

Primero, familiarícese con las palabras más importantes de esta lección.

Vocabulario

Media bar	barra *Media*
Play	reproducir
Volume	volumen
Music	música
Movies	películas
Entertainment	entretenimiento
Undock Player	separar el reproductor

¡Ahora, a su computadora!

Ahora, ponga el CD-ROM en la computadora y seleccione los ejercicios de esta lección.

Esta guía incluye un resumen práctico de dichos ejercicios. Consúltelo cada vez que desee repasar lo aprendido.

Computación sin Barreras.

QuickSkill 3

| Estatus del curso | Ayuda | Salir de la cuenta | Salir del curso | Usuario QuickSkill: Marcelo |

Internet Explorer 6.0: Introducción

Tome la evaluación

Información general: En este curso, usted explorará los componentes principales de la ventana de Internet Explorer 6.0, encontrará sitios Web que contienen información útil y utilizará la opción Favorites para crear vínculos a sitios útiles. También explorará cómo utilizar Outlook Express para enviar y recibir correo electrónico, descargar y utilizar archivos y utilizar Address Book. Usará el cuadro de diálogo Internet Options para cambiar las configuraciones y personalizar su página principal y utilizará también Content Advisor. Examinará el acceso a imágenes en la Web. Por último, observará las características P3P y cambiará configuraciones.

		Progreso	Recomendación
Unidad: Información general sobre Internet Explorer			
La pantalla de Explorer	Comenzar	☐	?
Unidad: Explore Internet		**Progreso**	**Recomendación**
Exploración de la Web	Comenzar	☐	?
Uso y organización de sus sitios favoritos	Comenzar	☐	?
Uso de las herramientas de búsqueda	Comenzar	☐	?
Uso de directorios en línea	Comenzar	☐	?
Unidad: Ayuda		**Progreso**	**Recomendación**
Uso del sistema de ayuda de Explorer	Comenzar	☐	?
Uso de la ayuda en la Web	Comenzar	☐	?
Unidad: Introducción a Outlook Express		**Progreso**	**Recomendación**
Uso del correo electrónico con Outlook Express	Comenzar	☐	?
Envío de vínculos, datos adjuntos y páginas Web	Comenzar	☐	?
Uso de Address Book	Comenzar	☐	?
Uso de los grupos de noticias	Comenzar	☐	?
Unidad: Acceso a los archivos de Internet		**Progreso**	**Recomendación**
Uso de multimedia en la Web	Comenzar	☐	?
Descarga de archivos	Comenzar	☐	?
Imágenes en la Web	Comenzar	☐	?
Unidad: Personalice su configuración de Internet		**Progreso**	**Recomendación**
Configuración de las opciones de Internet	Comenzar	☐	?
Características y configuración de privacidad	Comenzar	☐	?

Descripción de los símbolos: aquí le aconsejamos sobre los cursos que debe tomar o repetir, sobre la base de sus respuestas a la evaluación

? Pendiente

☒ Se recomienda tomarlo

☑ Evaluación pasada con éxito

Resumen práctico

Internet dispone de cientos miles de archivos de música y video.

Con la barra *Media*, usted puede reproducir música y video, y controlar el volumen sin necesidad de abrir otra ventana.

Para abrir la barra *Media*:

1) Haga clic en el botón *Media*.

La barra *Media* está a la izquierda de la ventana principal de Internet Explorer e incluye cinco fichas: *Today, Music, Radio, Movies* y *MSN Music.*

La ficha *Today* le permite escuchar la música de los artistas incluidos en ella, ver cortos de películas y sintonizar estaciones de radio específicas. Vamos a explorar otras fichas.

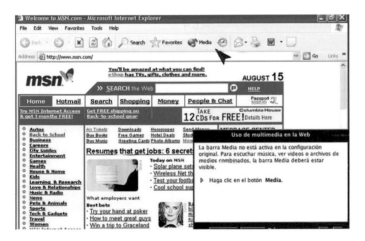

1) Haga clic en el área indicada de la barra de desplazamiento.

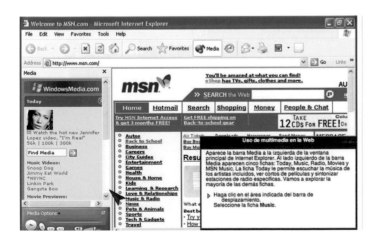

2) Seleccione la ficha *Music*.

La ficha *Music* le permite ver videos musicales y descargar música.

3) Haga clic en el área indicada de la barra de desplazamiento de la ficha *Music*.

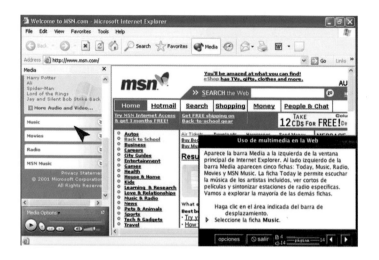

4) Seleccione la ficha *Radio*.

La ficha *Radio* le permite sintonizar estaciones de radio.

5) Haga clic en el área indicada de la barra de desplazamiento de la ficha *media*.

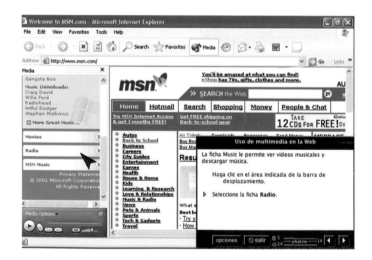

6) Haga clic en el vínculo *BeOnAir.com Alternative*.

7) Haga clic en el área indicada de la barra de desplazamiento
8) Seleccione la ficha *Movies*.

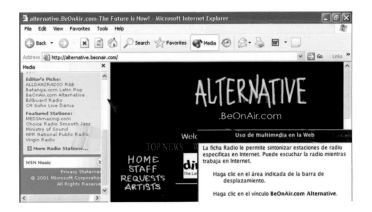

La ficha *Movies* le permite ver cortos de películas en cartelera o de próximos estrenos.

9) Haga clic en el área indicada de la barra de desplazamiento
   y seleccione el vínculo *More Great Movies*.

10) Haga clic en el vínculo *Entertainment*.

El vínculo *Entertainment* le permite ver lo último en videos y escenas omitidas de las películas. También puede buscar archivos multimedia en internet utilizando la función *Find Media*.

11) En la barra *Media*, haga clic en *Go*.

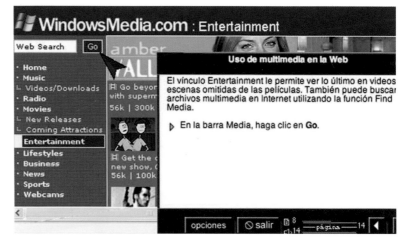

Se muestran los resultados de la búsqueda.

12) Haga clic en el vínculo *Back to WindowsMedia.com*.

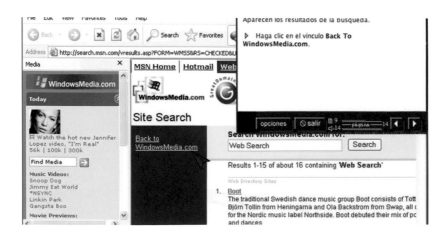

Reproducción de archivos con medios combinados

En la página *WindowsMedia.com* encontrará vínculos a diversos tipos de archivos con medios combinados. Para ver un archivo de video, haga clic en el vínculo correspondiente.

1) Haga clic en el vínculo indicado.

Puede controlar la reproducción de audio y video con los botones indicados.

Play: ver el video
Pause: detener brevemente el video
Stop: parar completamente la reproducción
Mute: quitar el sonido

El video puede verse en otra ventana haciendo clic en el botón *Undock Player*.

Undock Player

El video se reproduce en su propia ventana.

Lección 2
Descarga de archivos

En esta lección:
- buscará el programa WinZip y lo descargará
- verá los archivos de un sitio FTP

Primero, familiarícese con las palabras más importantes de esta lección.

Vocabulario

Download   descargar
FTP Site (File Transfer Protocol)   sitio o página FTP (Protocolo de
                                               Tranferencia de Archivos)

¡Ahora, a su computadora!

Ahora, ponga el CD-ROM en la computadora y seleccione los ejercicios de esta lección.

Esta guía incluye un resumen práctico de dichos ejercicios. Consúltelo cada vez que desee repasar lo aprendido.

Computación sin Barreras.
QuickSkill 3

Estatus del curso	Ayuda	Salir de la cuenta	Salir del curso	Usuario QuickSkill: Marcelo

Internet Explorer 6.0: Introducción
[Tome la evaluación]

Información general: En este curso, usted explorará los componentes principales de la ventana de Internet Explorer 6.0, encontrará sitios Web que contienen información útil y utilizará la opción Favorites para crear vínculos a sitios útiles. También explorará cómo utilizar Outlook Express para enviar y recibir correo electrónico, descargar y utilizar archivos y utilizar Address Book. Usará el cuadro de diálogo Internet Options para cambiar las configuraciones y personalizar su página principal y utilizará también Content Advisor. Examinará el acceso a imágenes en la Web. Por último, observará las características P3P y cambiará configuraciones.

		Progreso	Recomendación
Unidad: Información general sobre Internet Explorer			
La pantalla de Explorer	[Comenzar]	☐	?
Unidad: Explore Internet		**Progreso**	**Recomendación**
Exploración de la Web	[Comenzar]	☐	?
Uso y organización de sus sitios favoritos	[Comenzar]	☐	?
Uso de las herramientas de búsqueda	[Comenzar]	☐	?
Uso de directorios en línea	[Comenzar]	☐	?
Unidad: Ayuda		**Progreso**	**Recomendación**
Uso del sistema de ayuda de Explorer	[Comenzar]	☐	?
Uso de la ayuda en la Web	[Comenzar]	☐	?
Unidad: Introducción a Outlook Express		**Progreso**	**Recomendación**
Uso del correo electrónico con Outlook Express	[Comenzar]	☐	?
Envío de vínculos, datos adjuntos y páginas Web	[Comenzar]	☐	?
Uso de Address Book	[Comenzar]	☐	?
Uso de los grupos de noticias	[Comenzar]	☐	?
Unidad: Acceso a los archivos de Internet		**Progreso**	**Recomendación**
Uso de multimedia en la Web	[Comenzar]	☐	?
Descarga de archivos	[Comenzar]	☐	?
Imágenes en la Web	[Comenzar]	☐	?
Unidad: Personalice su configuración de Internet		**Progreso**	**Recomendación**
Configuración de las opciones de Internet	[Comenzar]	☐	?
Características y configuración de privacidad	[Comenzar]	☐	?

Descripción de los símbolos: aquí le aconsejamos sobre los cursos que debe tomar o repetir, sobre la base de sus respuestas a la evaluación

? Pendiente

☒ Se recomienda tomarlo

☑ Evaluación pasada con éxito

Resumen práctico

Al estar conectado a internet, puede compartir archivos con otros usuarios. Para usar un archivo que se ha puesto a disposición de los usuarios en internet, deberá descargarlo.

 Descargar significa copiar un archivo o un programa disponibe en un sitio web y colocarlo en una unidad de disco de la computadora.

Con frecuencia, los nombres de los archivos disponibles en internet son archivos "comprimidos".

 Comprimir significa reducir el tamaño de un archivo. Al disminuir de tamaño, los archivos pueden colocarse en internet y los usarios pueden descargarlos en su computadora. Una vez colocados en la computadora, los archivos pueden "descomprimirse", es decir, recuperan su tamaño real y se pueden abrir.

El programa que comprime y "descomprime" archivos se llama WinZip y puede descagarse gratis. Vamos a hacerlo.

Primero, vamos al sitio Winzip.

      1) Haga clic en la barra *Address*.
      2) Escriba "winzip" y presione la tecla *Enter*.

Ahora, para descargar el *software* WinZip:

3) Haga clic en el vínculo *Download 8.0 Evaluation Version*.

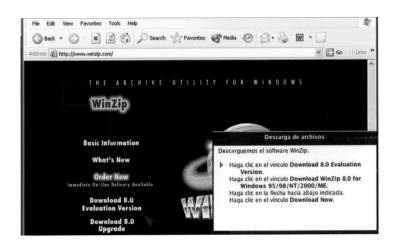

4) Haga clic en el vínculo *Download WinZip 8.0 for Window 95/98/NT/2000/ME*.

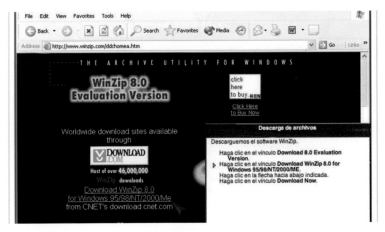

5) Haga clic en la flecha hacia abajo indicada.

6) Haga clic en el vínculo *Download Now*.

Ahora deberá decidir si desea abrir el archivo o guardarlo en su computadora.

7) Haga clic en *Save*.

Se abre el cuadro de diálogo *Save As*. Puede seleccionar la carpeta de destino del archivo.

8) Seleccione *My Documents*.

9) Haga clic en *Open*.

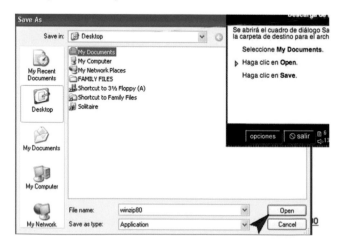

10) Haga clic en *Save*.

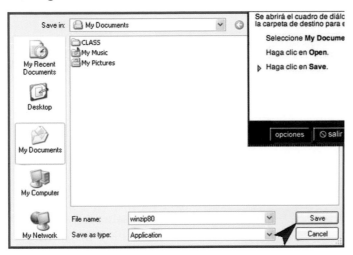

Ahora tiene el programa WinZip en su computadora.

11) Haga clic en *Close*.

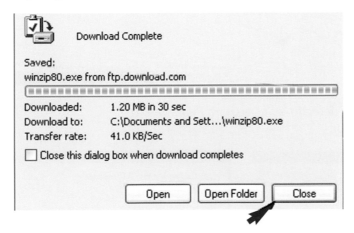

Administración de archivos en FTP

En la época en que pocas personas utilizaban internet, los sitios FTP eran el método más común de compartir archivos. Algunos sitios FTP requieren nombres de usuario y contraseñas, mientras que otros son de acceso libre. Veamos un ejemplo:

Vamos al sitio FTP de Microsoft.

1) Haga clic en la barra *Address*.

2) Escriba "ftp.microsoft.com" y presione la tecla *Enter*.

Éste es el sitio FTP de Microsoft.

1) Haga doble clic en la carpeta *Deskapps*.

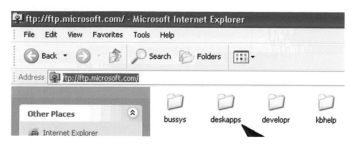

2) Haga doble clic en el archivo *Readme.txt*.

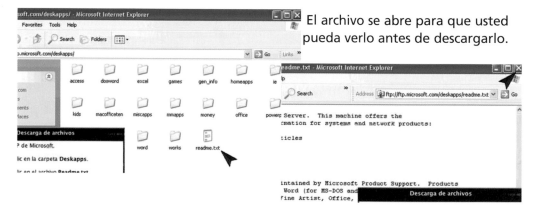

El archivo se abre para que usted pueda verlo antes de descargarlo.

3) Haga clic con el botón derecho en el archivo *Readme.txt*
4) Presione *Copy To Folder*.

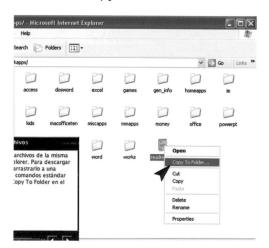

Se muestra el cuadro de diálogo *Browse for Folder*. En este cuadro puede seleccionar la carpeta en la que va a colocar el archivo.

Lección 3
Imágenes en la web

En esta lección:
- aprenderá a descargar, guardar, imprimir y enviar imágenes de internet por correo electrónico

Primero, familiarícese con las palabras más importantes de esta lección.

Vocabulario

Save this image	guardar esta imagen
Print this image	imprimir esta imagen
Send this image in an e-mail	enviar esta imagen por *e-mail*
Open My Pictures folder	abrir mi carpeta de imágenes
JPEG (Joint Photographers Expert Group)	JPEG (Grupo Conjunto de Fotógrafos Expertos)
Show More Options	ver más opciones
Make all my pictures smaller	reducir el tamaño de las imágenes
Keep the original size	mantener el tamaño original

¡Ahora, a su computadora!

Ahora, ponga el CD-ROM en la computadora y seleccione los ejercicios de esta lección.

Esta guía incluye un resumen práctico de dichos ejercicios. Consúltelo cada vez que desee repasar lo aprendido.

Computación sin Barreras.

QuickSkill 3

Estatus del curso   Ayuda   Salir de la cuenta   Salir del curso   Usuario QuickSkill: Marcelo

Internet Explorer 6.0: Introducción   [Tome la evaluación]

Información general: En este curso, usted explorará los componentes principales de la ventana de Internet Explorer 6.0, encontrará sitios Web que contienen información útil y utilizará la opción Favorites para crear vínculos a sitios útiles. También explorará cómo utilizar Outlook Express para enviar y recibir correo electrónico, descargar y utilizar archivos y utilizar Address Book. Usará el cuadro de diálogo Internet Options para cambiar las configuraciones y personalizar su página principal y utilizará también Content Advisor. Examinará el acceso a imágenes en la Web. Por último, observará las características P3P y cambiará configuraciones.

		Progreso	Recomendación
Unidad: Información general sobre Internet Explorer			
La pantalla de Explorer	[Comenzar]	☐	?
Unidad: Explore Internet		**Progreso**	**Recomendación**
Exploración de la Web	[Comenzar]	☐	?
Uso y organización de sus sitios favoritos	[Comenzar]	☐	?
Uso de las herramientas de búsqueda	[Comenzar]	☐	?
Uso de directorios en línea	[Comenzar]	☐	?
Unidad: Ayuda		**Progreso**	**Recomendación**
Uso del sistema de ayuda de Explorer	[Comenzar]	☐	?
Uso de la ayuda en la Web	[Comenzar]	☐	?
Unidad: Introducción a Outlook Express		**Progreso**	**Recomendación**
Uso del correo electrónico con Outlook Express	[Comenzar]	☐	?
Envío de vínculos, datos adjuntos y páginas Web	[Comenzar]	☐	?
Uso de Address Book	[Comenzar]	☐	?
Uso de los grupos de noticias	[Comenzar]	☐	?
Unidad: Acceso a los archivos de Internet		**Progreso**	**Recomendación**
Uso de multimedia en la Web	[Comenzar]	☐	?
Descarga de archivos	[Comenzar]	☐	?
Imágenes en la Web	[Comenzar]	☐	?
Unidad: Personalice su configuración de Internet		**Progreso**	**Recomendación**
Configuración de las opciones de Internet	[Comenzar]	☐	?
Características y configuración de privacidad	[Comenzar]	☐	?

Descripción de los símbolos: aquí le aconsejamos sobre los cursos que debe tomar o repetir, sobre la base de sus respuestas a la evaluación

? Pendiente
☒ Se recomienda tomarlo
☑ Evaluación pasada con éxito

Resumen práctico

Con la barra de herramientas *Image* puede imprimir, guardar y enviar por correo eletrónico las imágenes que encuentre en internet. Las imágenes que guarde se almacenarán en su disco duro en la carpeta *C:\My Pictures*.

La barra de herramientas *Image*

Vamos a utilizar la barra de herramientas *Image*.
En la página de MSN:

      1) Haga clic en la barra *Address*.
      2) Escriba "www.si.edu" y presione la tecla *Enter*.

Ésta es la página de Smithsonian Institution. La imagen de Smithsonian Institution está en el centro. Cuando coloque el puntero del ratón sobre la imagen, la barra de herramientas *Image* aparecerá en la esquina superior izquierda. Para poder ver la barra de herramientas *Image* en pantalla, la imagen debe tener por lo menos 200 x 200 pixeles. Vamos a intentarlo.

      3) Coloque el puntero del ratón sobre la imagen.

La barra de herramientas *Image* que aprece en pantalla tiene cuatro botones: *Save this image*, *Print this image*, *Send this image in an e-mail* y *Open My Pictures folder*.

Veamos qué función realiza cada botón.

      4) En la barra de herramientas *Image*, haga clic en el botón *Save this image*.

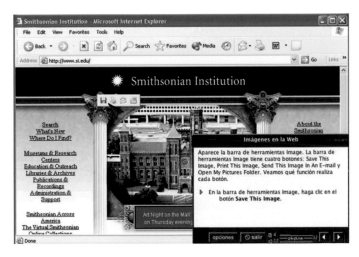

barra de
herramientas *Image*

botón
Save this image

Se muestra el cuadro de diálogo *Save Picture*. La foto se guardará automáticamente en la carpeta *My Pictures*; sin embargo, puede cambiar el lugar donde se guardará el archivo. El

Nota

archivo se guardará con el formato JPEG a menos que usted lo cambie en *Save As Type*.

Recuerde que algunas imágenes de la web están protegidas por derechos de autor. Las imágenes que se descargan en su computadora deben utilizarse para fines personales, a menos que haya recibido autorización explícita del dueño de los derechos de autor o esté seguro de que la imagen es de dominio público.

1) Haga clic en *Save* para guardar la imagen en la carpeta *My Pictures*.
2) En la barra de herramientas *Image*, haga clic en el botón *Print this image*.

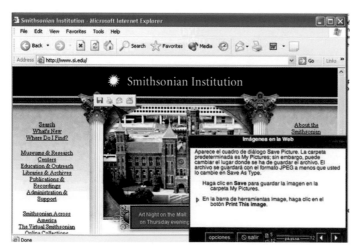

botón
Print this image

Aparece el cuadro de diálogo *Print*. Puede especificar qué impresora desea usar, cuántas copias de la imagen quiere imprimir.

3) Haga clic en *Cancel* para cancelar la operación de impresión.

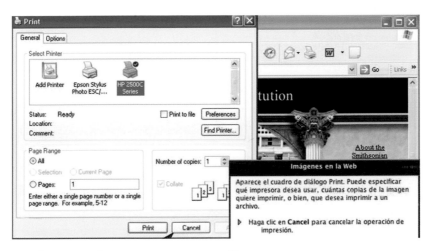

Cómo enviar una imagen por *e-mail*

1) Haga clic en el botón *Send this image in an e-mail*.

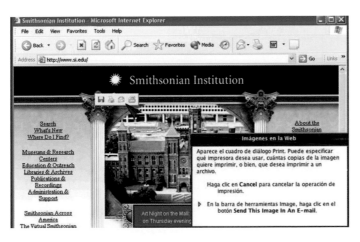

botón
Send this image in an email

En el cuadro de diálogo *Send Pictures Via E-Mail*, puede especificar que las imágenes sean más pequeñas, conservar su tamaño original o ver más opciones.

    2) Haga clic en el vínculo *Show More Options* (ver más opciones).

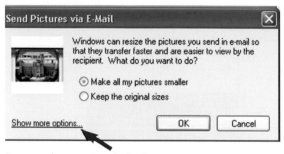

Puede ajustar el tamaño de la imagen.

    3) Haga clic en *OK*.

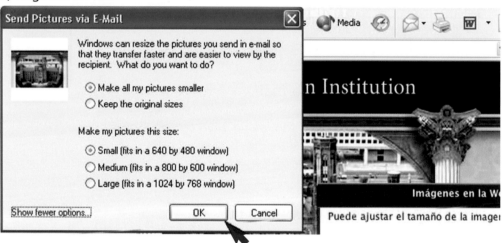

Ahora la imagen se ha adjuntado a un mensaje de correo electrónico de Outlook Express. Para enviar el mensaje, sólo hace falta añadir la dirección de correo electrónico del destinatario.

    1) Haga clic para cerrar la ventana.

2) Haga clic en *Open My Pictures folder.*

botón
Open My Pictues folder

Se abre la ventana de la carpeta *My Pictures.*
Usted puede realizar funciones de administración de archivos y ver miniaturas de todas las imágenes guardadas en la carpeta.

No tendrá que desplazarse horizontal ni verticalmente para ver una imagen grande en Internet Explorer. Cuando una imagen sea demasiado grande para que se vea en la ventana del navegador, Internet Explorer la ajustará automáticamente a la medida adecuada. Incluso si cambia el tamaño de la ventana, Internet Explorer ajustará la altura y el ancho de la imagen para que quepa en la ventana.

Unidad

Personalice su configuración de internet

Esta unidad consta de 2 lecciones:

1. Configuración de las opciones de internet
2. Características y configuración de la privacidad

Lección 1
Configuración de las opciones de internet

En esta lección:
- elegirá su página de inicio
- elegirá las opciones del historial
- examinará las opciones para bloquear sitios web
j127

Primero, familiarícese con las palabras más importantes de esta lección.

Vocabulario	
History	historial, lista de lugares visitados
Content Advisor	consejero de contenido
Rating	clasificación
Home	inicio
Clear History	borrar el historial

¡Ahora, a su computadora!

Ahora, ponga el CD-ROM en la computadora y seleccione los ejercicios de esta lección.

Esta guía incluye un resumen práctico de dichos ejercicios. Consúltelo cada vez que desee repasar lo aprendido.

Computación sin Barreras.

QuickSkill 3

Estatus del curso   Ayuda   Salir de la cuenta   Salir del curso   Usuario QuickSkill: Marcelo

Internet Explorer 6.0: Introducción

[Tome la evaluación]

Información general: En este curso, usted explorará los componentes principales de la ventana de Internet Explorer 6.0, encontrará sitios Web que contienen información útil y utilizará la opción Favorites para crear vínculos a sitios útiles. También explorará cómo utilizar Outlook Express para enviar y recibir correo electrónico, descargar y utilizar archivos y utilizar Address Book. Usará el cuadro de diálogo Internet Options para cambiar las configuraciones y personalizar su página principal y utilizará también Content Advisor. Examinará el acceso a imágenes en la Web. Por último, observará las características P3P y cambiará configuraciones.

		Progreso	Recomendación
Unidad: Información general sobre Internet Explorer			
La pantalla de Explorer	[Comenzar]	☐	?
Unidad: Explore Internet		**Progreso**	**Recomendación**
Exploración de la Web	[Comenzar]	☐	?
Uso y organización de sus sitios favoritos	[Comenzar]	☐	?
Uso de las herramientas de búsqueda	[Comenzar]	☐	?
Uso de directorios en línea	[Comenzar]	☐	?
Unidad: Ayuda		**Progreso**	**Recomendación**
Uso del sistema de ayuda de Explorer	[Comenzar]	☐	?
Uso de la ayuda en la Web	[Comenzar]	☐	?
Unidad: Introducción a Outlook Express		**Progreso**	**Recomendación**
Uso del correo electrónico con Outlook Express	[Comenzar]	☐	?
Envío de vínculos, datos adjuntos y páginas Web	[Comenzar]	☐	?
Uso de Address Book	[Comenzar]	☐	?
Uso de los grupos de noticias	[Comenzar]	☐	?
Unidad: Acceso a los archivos de Internet		**Progreso**	**Recomendación**
Uso de multimedia en la Web	[Comenzar]	☐	?
Descarga de archivos	[Comenzar]	☐	?
Imágenes en la Web	[Comenzar]	☐	?
Unidad: Personalice su configuración de Internet		**Progreso**	**Recomendación**
Configuración de las opciones de Internet	[Comenzar]	☐	?
Características y configuración de privacidad	[Comenzar]	☐	?

Descripción de los símbolos: aquí le aconsejamos sobre los cursos que debe tomar o repetir, sobre la base de sus respuestas a la evaluación

?   Pendiente

☒   Se recomienda tomarlo

☑   Evaluación pasada con éxito

Resumen práctico

El cuadro de diálogo *Internet Options* le permite controlar diversos aspectos del funcionamiento de Internet Explorer. Por ejemplo, puede cambiar con facilidad su página de inicio en el explorador.

Cómo cambiar la página de inicio
1) Haga clic en la barra *Address*.
2) Escriba "www.yahoo.com" y presione la tecla *Enter*.

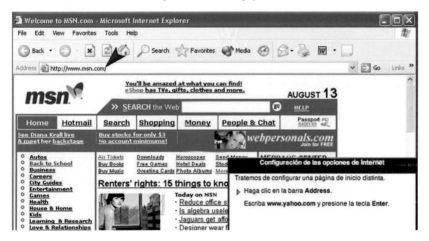

Para que la página actual sea su página de inicio:

1) Presione *Tools > Internet Options*.

2) Haga clic en *Use Current*.

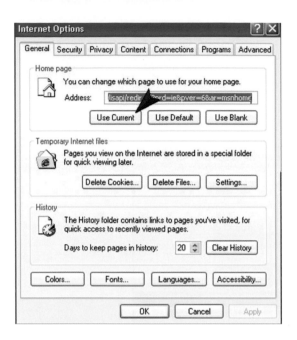

En el cuadro de diálogo *Internet Options* aparece el nuevo URL.
3) Haga clic en *OK*.

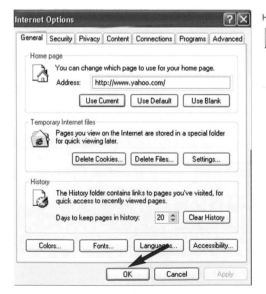

Nueva dirección de internet o
URL para la página de inicio.

4) Haga clic en la barra *Address*.

5) Escriba "msn.com" y presione la tecla *Enter*.

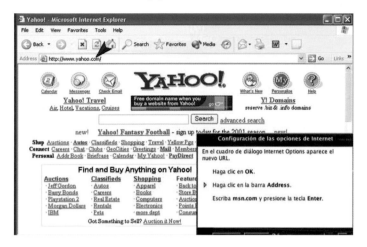

Para comprobar que se ha creado la nueva página de inicio:

1) Haga clic en *Home*.

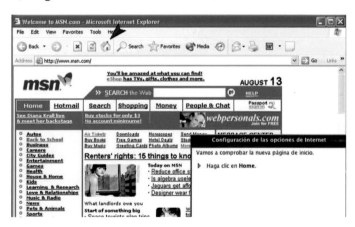

Ésta es la nueva página de inicio.

La función *History* de Internet Explorer

La función *History* de Internet Explorer mantiene un registro de los sitios que ha visitado para que pueda regresar a ellos con facilidad.

    1) Haga clic en el botón *History*.

El panel *History* muestra todos los sitios que ha visitado recientemente. Después de haber utilizado Internet Explorer durante un par de semanas, el panel *History* tendrá íconos para el día de hoy, la semana pasada y las últimas dos semanas.

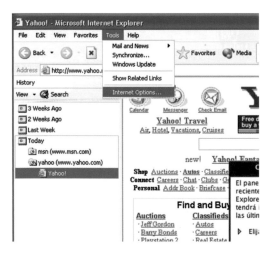 

    1) Presione *Tools* > *Internet Options*.

La opción *History* también está incluida en la ficha *General* del cuadro de diálogo *Internet Options*. Puede elegir el número de días que Internet Explorer mantendrá el historial.

Cuanto más tiempo conserve el historial, más espacio de disco utilizará.

Para eliminar el historial:

    1) Haga clic en *Clear History*.

2) Haga clic en *Yes* para confirmar la acción.

Al hacer clic en la X para cerrar el cuadro de diálogo *Internet Options*, comprobará que ya no hay ningún vínculo en el panel *History*.

1) Haga clic en la X para cerrar el panel *History*.

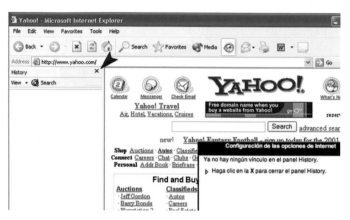

Internet Explorer acelera la velocidad de exploración utilizando archivos temporales de Internet. Es decir, se reserva espacio en el disco duro para guardar las páginas web que usted visita. Cuando usted regrese a dichos sitios, Internet Explorer cargará la versión del disco duro: es más rápido que descargar la versión del sitio en internet. Veamos cómo funciona.

1) En la página de Yahoo, haga clic en el vínculo *Auctions*.

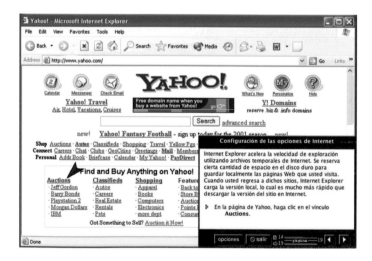

La primera vez que visite una página en internet, ésta tardará un poco en cargarse. La página se cargará con mayor rapidez la segunda vez que la visite ya que para entonces se habrá guardado en la computadora como un archivo temporal.

    1) Presione *Tools > Internet Options*.

    2) En la sección *Temporary Internet Files*, haga clic en el botón *Settings*.

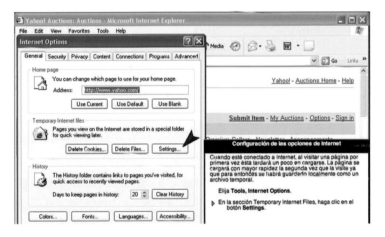

La función *Check for newer versions of stored pages* se ha fijado en *Automatically*. El control *Amount of disk space to use* se ha configurado a una pequeña cantidad de espacio en el disco duro. Si su disco duro es de gran capacidad, quizás desee reservar más espacio para esta función.

    1) En el cuadro de diálogo *Settings*, haga clic en *Cancel*.

Restricción de ciertos sitios web por medio de *Content Advisor*

Usted puede restringir el acceso de su computadora a ciertos sitios web utilizando la función *Content Advisor*. Esta función utiliza un sistema de clasificación independiente creado por el *Recreational Software Advisory Council on the Internet* (Consejo Asesor de Software Recreativo en Internet), conocido también como RSACi. Los creadores de los sitios web clasifican voluntariamente sus sitios en términos de sexo, desnudez, violencia y lenguaje ofensivo.

1) Seleccione la ficha *Content*.

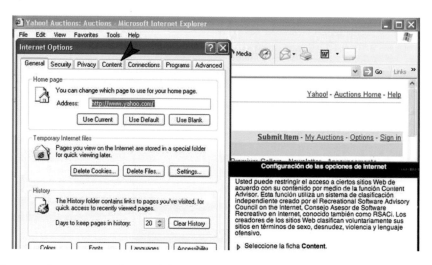

Los sitios que han aceptado establecer sus propias clasificaciones tienen rótulos que la función *Content Advisor* puede leer. Usted puede decidir lo que el término "inaceptable" significa en este contexto. Puede ajustar el nivel de aceptación entre 0 y 4 para cada una de las categorías. También puede decidir si permite o no el acceso a sitios que no han sido clasificados, aunque la configuración original de *Content Advisor* no lo permite.

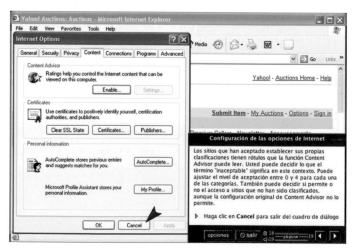

1) Haga clic en *Cancel* para salir del cuadro de diálogo *Internet Options*.

Lección 2
Características y configuración de privacidad

En esta lección:
- se familiarizará con las funciones de privacidad y seguridad

Primero, familiarícese con las palabras más importantes de esta lección.

Vocabulario

Security	seguridad
Privacy	privacidad
Cookie	archivos que guardan información personal
Privacy norms	normas de privacidad

¡Ahora, a su computadora!

Ahora, ponga el CD-ROM en la computadora y seleccione los ejercicios de esta lección.

Esta guía incluye un resumen práctico de dichos ejercicios. Consúltelo cada vez que desee repasar lo aprendido.

Computación sin Barreras.

QuickSkill 3

| Estatus del curso | Ayuda | Salir de la cuenta | Salir del curso | Usuario QuickSkill: Marcelo |

Internet Explorer 6.0: Introducción   [Tome la evaluación]

Información general: En este curso, usted explorará los componentes principales de la ventana de Internet Explorer 6.0, encontrará sitios Web que contienen información útil y utilizará la opción Favorites para crear vínculos a sitios útiles. También explorará cómo utilizar Outlook Express para enviar y recibir correo electrónico, descargar y utilizar archivos y utilizar Address Book. Usará el cuadro de diálogo Internet Options para cambiar las configuraciones y personalizar su página principal y utilizará también Content Advisor. Examinará el acceso a imágenes en la Web. Por último, observará las características P3P y cambiará configuraciones.

Unidad: Información general sobre Internet Explorer		Progreso	Recomendación
La pantalla de Explorer	[Comenzar]	☐	?
Unidad: Explore Internet		**Progreso**	**Recomendación**
Exploración de la Web	[Comenzar]	☐	?
Uso y organización de sus sitios favoritos	[Comenzar]	☐	?
Uso de las herramientas de búsqueda	[Comenzar]	☐	?
Uso de directorios en línea	[Comenzar]	☐	?
Unidad: Ayuda		**Progreso**	**Recomendación**
Uso del sistema de ayuda de Explorer	[Comenzar]	☐	?
Uso de la ayuda en la Web	[Comenzar]	☐	?
Unidad: Introducción a Outlook Express		**Progreso**	**Recomendación**
Uso del correo electrónico con Outlook Express	[Comenzar]	☐	?
Envío de vínculos, datos adjuntos y páginas Web	[Comenzar]	☐	?
Uso de Address Book	[Comenzar]	☐	?
Uso de los grupos de noticias	[Comenzar]	☐	?
Unidad: Acceso a los archivos de Internet		**Progreso**	**Recomendación**
Uso de multimedia en la Web	[Comenzar]	☐	?
Descarga de archivos	[Comenzar]	☐	?
Imágenes en la Web	[Comenzar]	☐	?
Unidad: Personalice su configuración de Internet		**Progreso**	**Recomendación**
Configuración de las opciones de Internet	[Comenzar]	☐	?
Características y configuración de privacidad	[Comenzar]	☐	?

Descripción de los símbolos: aquí le aconsejamos sobre los cursos que debe tomar o repetir, sobre la base de sus respuestas a la evaluación
? Pendiente
☒ Se recomienda tomarlo
☑ Evaluación pasada con éxito

Resumen práctico

Las funciones de privacidad protegen su información personal. Algunos sitios web utilizan archivos llamados *cookies* para guardar la información de los usuarios que visitan dichos sitios.

Cookies son archivos creados por un sitio web que guardan información sobre usted, sus preferencias al visitar el sitio, su nombre, dirección de correo electrónico, la dirección de su casa o su oficina y el número de teléfono de su casa u oficina.

Las funciones de seguridad evitan que otras personas tengan acceso a dicha información sin su consentimiento y protegen su computadora contra programas que no sean seguros.

Internet Explorer 6.0 le ofrece herramientas que le permiten controlar la información que los sitios web reúnen sobre usted. Le avisará si los sitios web usan *cookies* para obtener información ajena. Usted decidirá qué información proporcionar y en qué circunstancias.

Vamos a cambiar los niveles de privacidad:
1) Presione *Tools > Internet Options*.

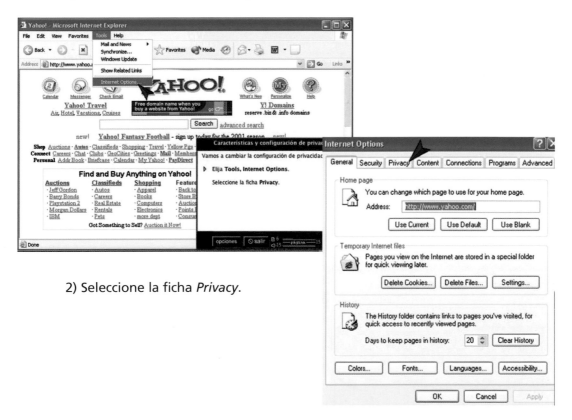

2) Seleccione la ficha *Privacy*.

En la sección *Settings* hay tres botones.

Import... sirve para importar archivos con niveles de privacidad personalizados.

Advanced... le permite desactivar el manejo automático de *cookies*.

Default le permite cambiar el nivel de privacidad.

> 1) Haga clic en *Default*.

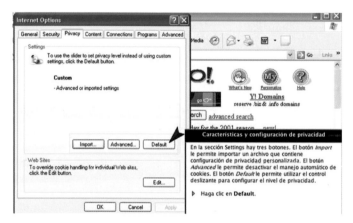

El nivel de privacidad se ajusta automáticamente a *Medium*. Cada ajuste ofrece un nivel distinto de privacidad. Puede cambiar el nivel de privacidad moviendo el control deslizante hacia arriba para aumentarlo, o hacia abajo para disminuirlo.
Puede decidir los sitios que tendrán permiso para usar *cookies* y los que nunca lo tendrán, independientemente de la forma en que manejen la configuración de privacidad.

El sitio Classmates.com utiliza *cookies* y guarda información en su computadora.

> 1) Haga clic en *Edit*.

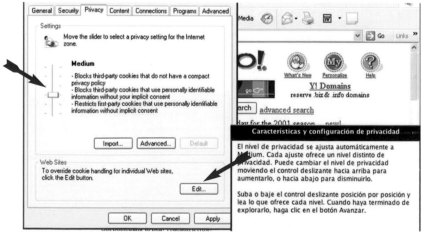

Cómo bloquear sitios que usan *cookies*

En el sitio Classmates.com se le pide que proporcione la información siguiente: su nombre, la escuela a la que asistió y el año de su graduación. Vamos a abrir este sitio.

1) En el cuadro de texto *Address of Web site*, escriba "www".
Aparecerá una lista de los sitios web que ha visitado. Escribamos el resto de la dirección del sitio Web Classmates.
2) Escriba ".classmates.com"
3) Haga clic en *Block*.

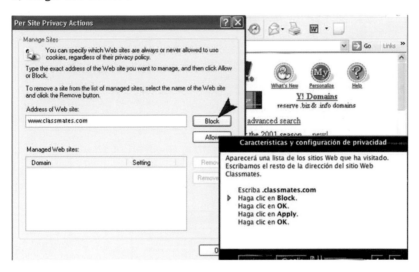

4) Haga clic en *OK*.

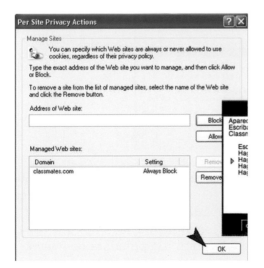

5) Haga clic en *Apply*.

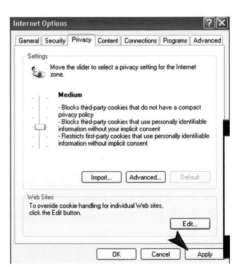

6) Haga clic en *OK*.

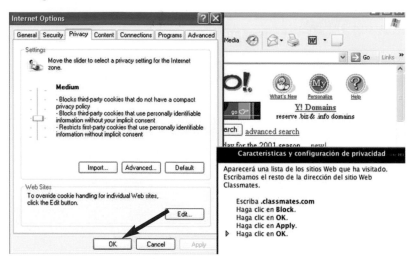

Para confirmar si lo hemos conseguido, tratemos de entrar al sitio Classmates.
   1) Haga clic en la barra *Address*.
   2) Escriba "www.classmates.com" y presione la tecla *Enter*.

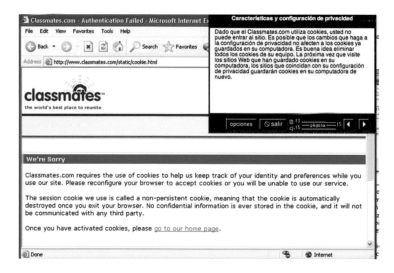

Dado que Classmates.com utiliza *cookies*, usted no puede entrar al sitio. Es posible que los cambios que haga a los niveles de privacidad no afecten a los *cookies* ya guardados en su computadora. Es buena idea eliminar todos los *cookies* de su equipo. La próxima vez que visite los sitios web que han guardado *cookies* en su computadora, los sitios que coincidan con su configuración de privacidad guardarán *cookies* en su computadora de nuevo.
Los sitios que no coincidan con su configuración de privacidad no podrán guardar *cookies* en su computadora.

La tecnología a su servicio:

Las nuevas herramientas de Internet

 Este suplemento hace alusiones a ciertas páginas Web, sin embargo, no puede asegurar que estas estén activadas o si las empresas que las mantienen existan u ofrezcan el mismo servicio descrito aquí. De la misma manera, este suplemento es meramente informativo y no pretende endosar el contenido, servicio o herramientas ofrecidas por empresas comerciales o servicios públicos incluidos.

Internet se ha desarrollado de manera vertiginosa en los últimos años. La simple red de computadoras conectadas para compartir información, que dio inicio a la plataforma que hoy llamamos Internet, ha dado paso a un complejo sistema de comunicaciones e información al cual tienen acceso usuarios con poco o ningún conocimiento técnico.

Los usuarios de Internet pueden acceder hoy a una cantidad impresionante de nuevas herramientas en cientos de ámbitos muy diversos. La mayoría de ellas son de bajo o ningún costo. Los precios asociados a las conexiones de acceso a Internet también han disminuido progresivamente, al igual que los precios de las computadoras. Gracias a esto, Internet se ha ido convirtiendo en la principal fuente de información, comunicación y de negocios del siglo XXI.

En este suplemento le entregaremos un resumen de los principales avances tecnológicos que usted puede aprovechar gracias a su computadora y a Internet. Éstos han sido divididos en cinco áreas principales y, bajo ellas, las principales herramientas disponibles:

1. **Conexiones y proveedores de Internet**
2. **Comunicaciones e intercambio de información**
3. **Negocios y servicios**
4. **Entretenimiento**
5. **Seguridad**

Confiamos en que este suplemento del volumen acerca de Internet de **Computación Sin Barreras** sea de mucha utilidad a la hora de aprovechar todas las posibilidades de esta poderosa herramienta tecnológica.

Conexiones y proveedores de Internet

Básicamente, la red que llamamos Internet es un universo de computadoras conectadas. Todas las computadoras son capaces de compartir información. Sin embargo, crear una comunidad de millones de usuarios que intercambien una enorme cantidad de datos requiere de grandes centros de almacenaje, llamados servidores (*servers*). El formato más difundido actualmente para desplegar la información es **WWW**, o *World Wide Web (Red Mundial)*, que es un conjunto de servidores donde residen las páginas Web que usted visita cada día. La mayoría de las páginas Web son construidas usando el código HTML (sigla que deriva del inglés: *Hyper Text Markup Language)*. Este código permite diseñar y construir páginas Web con un lenguaje reconocido por varios navegadores (programas que permiten visualizar páginas Web). HTML permite además la inclusión de vínculos (*links*), que hace posible realizar "saltos" de una página a otra dentro del sitio Web, o ser redirigido a otros sitios Web.

 Servidor (*server*, en inglés: Computadora de alta capacidad que se usa como centro de almacenamiento para páginas Web).

¿Cómo se conecta su computadora a este universo de páginas Web? A través de los Proveedores del Servicio de Internet, o ISP, por sus siglas en inglés (*Internet Service Provider*). Existe una gran cantidad de empresas que ofrecen este servicio bajo un amplio rango de precios y formatos. En general, el costo de conexión dependerá de la velocidad de transmisión de datos que se desea y la ubicación geográfica desde donde se realice.

Velocidad de conexión

Generalmente, la conexión se mide en kilobytes por segundo (kbps) o megabytes por segundo (mbps). Un mbps equivale a 1,000 kbps. Las plataformas actuales ofrecen un gran rango de velocidad, dependiendo del tipo de conexión y el contrato que se tenga con la compañía. A más velocidad, mayor será el precio a pagar.

Las velocidades se entregan generalmente en pares. Es decir, una cifra representa la velocidad de descarga de información desde una página Web y la otra, la velocidad de transferencia desde su computador a un servidor Web.

La velocidad más lenta, hoy en día, es la ofrecida por el sistema "Dial-up", o conexión a través de una línea telefónica. La velocidad estándar en la plataforma Dial-up es de alrededor de 54 kbps. Como comparación, las conexiones DSL o por cable pueden ofrecer decenas de veces más, o niveles de varios miles de kbps.

La elección de la velocidad de su servicio de Internet dependerá de sus necesidades, usos y gustos. Para la descarga de música, o grandes archivos gráficos, será necesario tener más velocidad de descarga. De no contar con la velocidad apropiada, descargar fotos digitales de gran tamaño o video digital podría tardar varios minutos, incluso horas, o simplemente la conexión no soportaría esas operaciones.

El módem

Todas estas conexiones necesitan un módem o equipo que permita que su computadora interactúe con la plataforma de conexión a Internet. En este sentido, el módem es un aparato intermediario entre su computadora y el sistema de redes utilizado para transmitir datos hacia y desde los servidores Web. Generalmente estos aparatos son provistos por las propias compañías de conexión a Internet.

Existen varios sitios Web que ofrecen herramientas gratuitas para comprobar la velocidad de conexión de su sistema, entre estos **http://www.internautas.org/testvelocidad/** A continuación describiremos las conexiones más comunes ofrecidas en el mercado.

a. Dial-up

Descripción: Esta es la conexión que solía utilizarse en mayor medida antes del abaratamiento de las conexiones de alta velocidad o banda ancha (*broadband*). La conexión Dial-up utiliza un módem que permite conectarse a Internet a través de una línea telefónica. Los módems solían tener una capacidad de transmisión de 28kbps, aunque luego se incrementaron a 56kbps.

Actualmente existen varias compañías que ofrecen "aceleradores" de las conexiones de Dial-up, aunque nunca logran las velocidad de las conexiones de banda ancha. Asimismo, al conectarse a través de Dial-up usted no puede recibir ni hacer llamadas telefónicas. Algunas compañías ofrecen cierta cantidad de minutos de conexión dependiendo del plan que usted contrate y otras entregan la posibilidad de conexión ilimitada.

Módem y requerimientos técnicos: Las conexiones Dial-up requieren de una computadora, una línea telefónica activa y un módem telefónico (este último generalmente ya viene incorporado dentro de su computadora).

 Nota

Módem: aparato que permite codificar y decodificar señales desde y hacia la computadora, de modo de poder transmitir datos a través de una plataforma física de transmisión.

b. DSL

Descripción: DSL es la abreviación de *Digital Subscriber Line*. Este tipo de conexión utiliza también la línea telefónica, pero de una forma que permite realizar y recibir llamadas mientras se está conectado a Internet. Asimismo, utiliza al máximo el ancho de banda de las líneas telefónicas, lo que incrementa de manera importante la velocidad de descarga y transmisión.

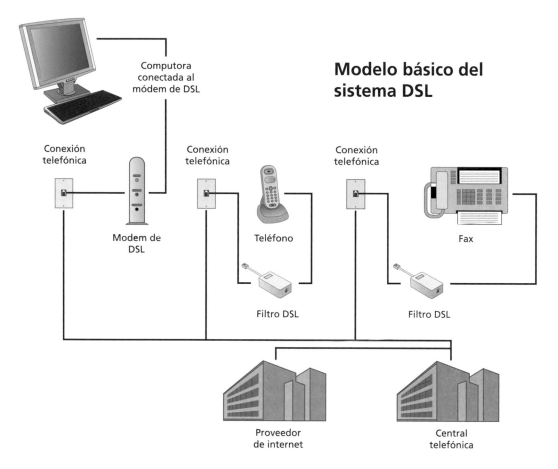

Modelo básico del sistema DSL

El sistema DSL es fácil de instalar. Se utilizan las mismas cajas telefónicas ya presentes, a las cuales se agregan conexiones extra provistas por la compañía. En estas conexiones se conectan a su vez los aparatos telefónicos (teléfono, fax, sistemas de seguridad) para poder utilizarlos al mismo tiempo que se está conectado a Internet.

DSL ofrece una alta velocidad de transmisión. Las cifras dependerán de la compañía y el plan contratado. En cualquier escenario, la conexión a través del sistema DSL es mucho más rápida que Dial-up.

Módem: Los proveedores de este servicio generalmente incluyen el módem externo para poder conectarse, que no es igual al módem de Dial-up. Las compañías de DSL ofrecen manuales simples para poder conectar el sistema. Por un cobro extra, generalmente se puede conseguir que un técnico realice la conexión.

Su computador también deberá contar con una tarjeta de conexión a redes (*Network Interface Card*). La mayoría de las computadoras personales son vendidas con este tipo de tarjetas incluidas.

c. Cable

Descripción: Este sistema de conexión también es de banda ancha y alta velocidad. En este caso, la conexión a Internet se realiza a través de un cable coaxial del mismo tipo utilizado para la televisión por cable.

Computadora conectada al módem de DSL

Modelo básico del sistema de Cable

Conexión telefónica

Modem de DSL

Proveedor del servicio de cable e internet

Este sistema es ofrecido en ocasiones como parte de un paquete que incluye el servicio de televisión por cable, lo que abarata los precios.

Módem y equipamiento técnico: La compañía de Internet por cable también le proveerá de un módem externo, específico para este tipo de conexiones. Si el lugar que usted habita ya posee el cableado coaxial, la instalación será más rápida. Si los cables no están presentes, la propia compañía puede realizar su instalación.

d. Internet inalámbrico

d.1. WiFi

Este tipo de conexión se está haciendo más popular, especialmente para quienes utilizan una computadora portátil (conocidos en inglés como *laptops* o *notebooks*). La tecnología WiFi permite conectarse a Internet mediante la recepción inalámbrica de la señal a través de una tarjeta electrónica instalada en su computadora. La mayoría de las computadoras recientes vienen con esta tarjeta incorporada de fábrica. Existen varias modalidades de WiFi:

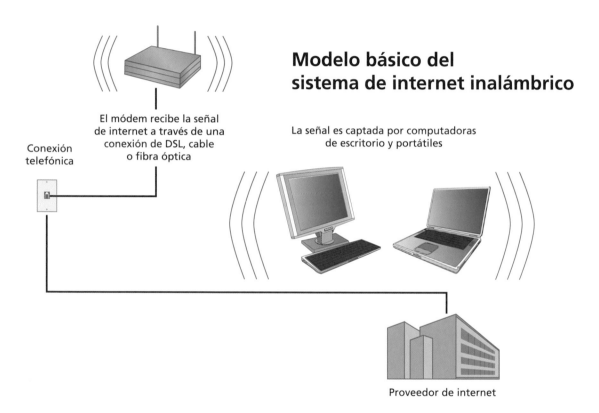

Modelo básico del sistema de internet inalámbrico

El módem recibe la señal de internet a través de una conexión de DSL, cable o fibra óptica

Conexión telefónica

La señal es captada por computadoras de escritorio y portátiles

Proveedor de internet

Conexión hogareña: generalmente una compañía, ya sea de cable, DSL u otra plataforma, como fibra óptica, ofrece la instalación de un módem que genera la señal inalámbrica de Internet. Esta señal le permite usar Internet en cualquier lugar de su hogar sin necesidad de estar conectado físicamente a un cable de la red, e incluso le permite estar conectado a Internet en el perímetro exterior de su hogar.

Esta señal inalámbrica puede ser también captada por otras computadoras que estén ubicadas en los alrededores, dentro del rango de transmisión. Sin embargo, los usuarios titulares pueden crear una clave que no permita que otras personas hagan uso ilícito de la señal.

Conexiones gratuitas: Muchas empresas, locales comerciales, instituciones públicas y educacionales ofrecen conexión inalámbrica gratuita. Si se tiene la tarjeta compatible con la tecnología WiFi, y la señal es suficientemente fuerte, usted puede conectarse automáticamente a Internet si se encuentra en estos lugares.

Problemas de seguridad: las conexiones abiertas o gratuitas que no están protegidas por claves o codificadas no ofrecen seguridad para los usuarios de Internet. La información enviada o recibida puede ser interceptada electrónicamente por terceros, por lo cual es recomendable no enviar información personal o privada cuando se hace uso de una red inalámbrica pública o gratuita, tal como fecha de nacimiento, número de seguro social, números de cuentas bancarias, claves secretas, etc.

Conexiones contratadas de alcance restringido (*hot-spots*): algunas empresas ofrecen conexión inalámbrica a Internet en diversos lugares públicos en varias ciudades del mundo. Dependiendo del contrato y el precio del servicio, se puede tener acceso a Internet a través de WiFi en lugares como hoteles, aeropuertos, restaurantes, plazas, centros de compras, oficinas de correo, salas de conferencias, entre muchos otros. Este sistema es ideal para aquellas personas que viajan o quieren tener un servicio confiable de Internet inalámbrico. El alcance de este servicio depende de las compañías que lo ofrecen. Los lugares donde la señal de Internet es transmitida se conocen como "hot-spots". Las empresas que ofrecen este servicio entregan a sus clientes listas de lugares donde podrán acceder a la señal WiFi, junto a una clave secreta.

d.2. Conexión satelital

Si en el lugar donde usted vive no existe conexión a través de Dial-up, Cable o DSL, Internet satelital puede ser entonces una buena solución. Esta tecnología es un poco más cara que el resto y requiere de más accesorios. Generalmente se utilizará una antena parabólica pequeña para recibir la señal, la que luego es transmitida por cable coaxial o de otro tipo a la computadora. Internet satelital se usa mayormente en lugares inaccesibles o donde ninguna compañía ofrece servicio regular de conexión a Internet.

d.3 Conexión T1

Este tipo de conexión es de muy alta velocidad, y generalmente se utilizan en grandes redes con grandes volúmenes de transmisión, como aquellas de empresas e instituciones. La instalación y mantenimiento son en general responsabilidad de técnicos de la propia empresa, por lo tanto, usted como usuario no tendría que preocuparse de la instalación.

Comunicaciones e intercambio de información

a. Correo electrónico

Una de las herramientas más innovadoras y poderosas que surgieron junto con Internet es el servicio de correo electrónico. Esta herramienta, también conocida como "e-mail" (*electronic mail*) es básicamente un sistema por el cual se pueden enviar mensajes de una computadora a otra a través de Internet. Estos mensajes pueden ser de texto o incluir archivos de la más diversa índole, como por ejemplo, fotografías, archivos de audio, videos, u otros programas. Dependiendo del tipo de servicio disponible, será el tamaño de los archivos que pueden enviarse.

Existe una gran variedad de servicios de correo electrónico ofrecidos en el mercado. La mayoría son gratuitos con una cantidad limitada de espacio de almacenamiento de mensajes y se financian con la publicidad desplegada dentro del navegador o en los mensajes que usted envía. Todos estos servicios usan Internet como base, por lo tanto, usted puede revisar su casilla de correo electrónico en cualquier lugar del mundo. Sólo basta tener acceso a una computadora conectada a Internet para poder recibir y enviar mensajes.

Entre los sistemas de correo electrónico más populares en inglés se encuentran *MSN® Hotmail, Yahoo!®, Gmail™ y AOL®* . Asimismo, muchas instituciones públicas y empresas ofrecen a sus empleados sus propios sistemas privados de correo electrónico.

Pese a la diversidad de servicios de correo electrónico, todos los sistemas ofrecen generalmente una estructura similar y herramientas comunes. A continuación, le describiremos esta herramienta en detalle:

* Usted debe suscribirse primero a un servicio de correo electrónico de su preferencia. Generalmente se le solicitarán datos personales, un nombre de usuario donde usted puede combinar letras y números u otros símbolos como guiones o puntos (*user name*) y una clave secreta o contraseña (*password*). Los símbolos que puede usar para su nombre de usuario dependen del servicio que usted contrata. Ese nombre de usuario será la base de su dirección de correo electrónico.

* En ocasiones, para aumentar la seguridad de su servicio, se le solicitará responder a preguntas personales (nombre de su mascota, nombre de su escuela primaria, apellido de soltera de su madre, etc.) para poder enviarle una nueva clave en caso de que la haya olvidado o en caso que desee modificarla.

* Una vez que tenga su nombre de usuario y clave, podrá acceder a su casilla electrónica para poder recibir y enviar mensajes. El nombre de usuario y la empresa que le presta el servicio de correo electrónico componen su dirección electrónica. Por ejemplo, si la empresa de correo electrónico es *Yahoo!â*, y su nombre de usuario es juanito888, su dirección electrónica será **juanito888@yahoo.com**. Todas las direcciones de correo electrónico tienen este formato: nombre del usuario (sin

espacios entre los caracteres) + el símbolo arroba @ + nombre del servicio + extensión del servicio:
(**.net**, **.com**, **.org**, dependiendo del dominio).

Ejemplos:
pedro301976@airplane.com
silvia_santiago_amanecer@institucion.org
nathalie.scout@company.net
mollyS@usa.net

Una vez que tenga acceso al sistema al cual usted se suscribió, tendrá a su alcance varias opciones que le permitirán redactar un mensaje, reenviarlo, borrarlo o responder uno recibido. A continuación le presentamos una lista bilingüe como referencia, con variantes en español que puede encontrar en su servicio de correo electrónico:

Inbox / **Bandeja de entrada - Buzón**
Es el área donde se agrupan los mensajes recibidos. Generalmente los mensajes se abren haciendo clic sobre la oración de título del mensaje (asunto / *subject*). Los mensajes nuevos están en la mayoría de los servicios destacados en negrita u otro tipo de elemento gráfico distintivo.

Delete / **Borrar**
Con esta función usted puede borrar un mensaje y enviarlo a la Papelera o basura. Generalmente se requiere un segundo paso ("vaciar" la papelera) para borrar los mensajes definitivamente.

Trash Can / **Papelera – Basura**
Cada vez que borra un mensaje que haya recibido, éste es transferido a esta carpeta, desde donde puede ser borrado definitivamente cuando usted lo desee. Algunos sistemas vacían la papelera cotidianamente sin previo aviso, por lo que tiene que estar seguro antes de eliminar un mensaje de esta manera.

Sent / **Enviados**
En esta carpeta se archiva una copia de todos los mensajes que usted envíe.

Search – Find / **Buscar**
Esta herramienta le permite buscar mensajes específicos. Generalmente puede buscar en diferentes campos usando palabras clave, nombres de usuarios, títulos de los mensajes o el contenido de éstos.

Draft / **Borrador**
Si ha escrito un mensaje pero no está listo para enviarlo, puede guardarlo en la carpeta "Draft". Podrá modificarlo y enviarlo más tarde.

ENVIANDO UN MENSAJE

Compose – New / Redactar – Escribir un mensaje

Al presionar este botón, se abrirá una ventana que desplegará varios elementos para poder escribir y enviar un mensaje. A continuación, le mostraremos un gráfico esquemático con los elementos básicos que encontrará si su servicio de e-mail es en inglés, con la versión correspondiente en español:

RESPONDIENDO UN MENSAJE

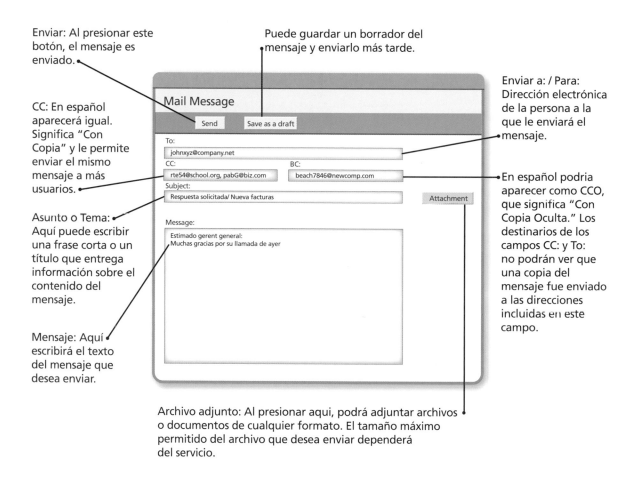

Enviar: Al presionar este botón, el mensaje es enviado.

Puede guardar un borrador del mensaje y enviarlo más tarde.

Enviar a: / Para: Dirección electrónica de la persona a la que le enviará el mensaje.

CC: En español aparecerá igual. Significa "Con Copia" y le permite enviar el mismo mensaje a más usuarios.

Asunto o Tema: Aquí puede escribir una frase corta o un título que entrega información sobre el contenido del mensaje.

Mensaje: Aquí escribirá el texto del mensaje que desea enviar.

En español podria aparecer como CCO, que significa "Con Copia Oculta." Los destinarios de los campos CC: y To: no podrán ver que una copia del mensaje fue enviado a las direcciones incluidas en este campo.

Archivo adjunto: Al presionar aqui, podrá adjuntar archivos o documentos de cualquier formato. El tamaño máximo permitido del archivo que desea enviar dependerá del servicio.

Mail Message

Send   Save as a draft

To:
johnxyz@company.net
CC: BC:
rte54@school.org, pabG@biz.com   beach7846@newcomp.com
Subject:
Respuesta solicitada/ Nueva facturas   Attachment

Message:
Estimado gerent general:
Muchas gracias por su llamada de ayer

Cuando recibe un mensaje, el sistema le ofrecerá varias opciones. A continuación le mostramos un gráfico esquemático con los elementos básicos que encontrará si su servicio de e-mail es en inglés, con la versión correspondiente en español:

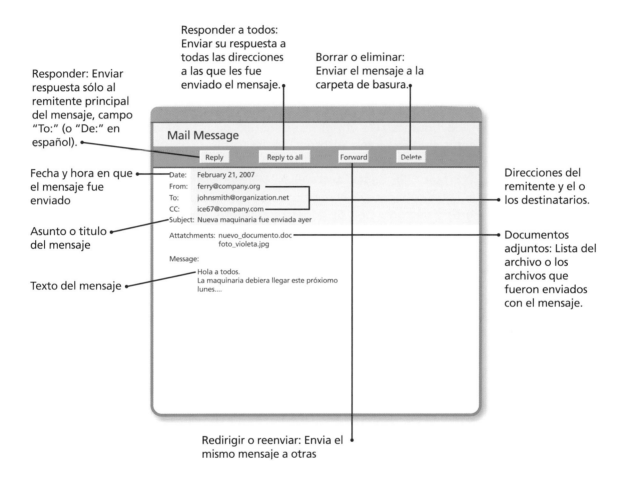

Responder a todos: Enviar su respuesta a todas las direcciones a las que les fue enviado el mensaje.

Borrar o eliminar: Enviar el mensaje a la carpeta de basura.

Responder: Enviar respuesta sólo al remitente principal del mensaje, campo "To:" (o "De:" en español).

Fecha y hora en que el mensaje fue enviado

Asunto o titulo del mensaje

Texto del mensaje

Direcciones del remitente y el o los destinatarios.

Documentos adjuntos: Lista del archivo o los archivos que fueron enviados con el mensaje.

Mail Message

| Reply | Reply to all | Forward | Delete |

Date: February 21, 2007
From: ferry@company.org
To: johnsmith@organization.net
CC: ice67@company.com
Subject: Nueva maquinaria fue enviada ayer

Attatchments: nuevo_documento.doc
              foto_violeta.jpg

Message:

Hola a todos.
La maquinaria debiera llegar este próxiomo lunes....

Redirigir o reenviar: Envia el mismo mensaje a otras

b. Instant Messenger

Este servicio es uno de los más populares en Internet. *Instant Messenger*, también conocido como IM, es un sistema que originalmente permitía a dos o más usuarios comunicarse entre sí a través de un programa común de escritura "instantánea". De ahí el concepto en inglés: "instant messenger", o "mensajero instantáneo". Básicamente, un usuario escribe una frase en una ventana de diálogo compartida con la otra persona, luego presiona *Enter* y el mensaje es enviado inmediatamente; el otro usuario está conectado al mismo tiempo, lee el mensaje, escribe su respuesta y la envía, desplegándose debajo del texto anterior recibido. El usuario original puede continuar respondiendo y así sucesivamente.

Cuando varios usuarios están interconectados entre sí se habla de *chat rooms*, o "salas de conversación" en sentido figurado. De ahí el uso genérico de esta palabra en español, *chat*, con sus equivalentes *chatear* (como verbo) y *chateo* (como sustantivo).

Muchas empresas ofrecen servicios de IM, entre ellas: *MSN® Hotmail, Yahoo!®, AOL®,* y *Google™* (*). El sistema generalmente es el mismo: usted como usuario invita a otro para que sea parte de su grupo de contactos. Si la persona acepta, entonces se establece la conexión y pueden dialogar a través de mensajes de texto.

No sólo texto

Los sistemas de IM originales consideraban sólo texto como vehículo de comunicación. Sin embargo, los avances tecnológicos de estos sistemas han hecho evolucionar estos sistemas vertiginosamente. Ahora muchos de estos servicios ofrecen conexión telefónica en línea a través de la computadora. La calidad de la voz trasmitida dependerá del tipo de conexión y otros factores. Sin embargo, la mayor ventaja consiste en la gratuidad del servicio y su versatilidad — no importa donde los usuarios están ubicados geográficamente: basta con tener acceso a Internet.

Asimismo, es posible intercambiar archivos rápidamente a través de IM. Con la invención de las *Web-cams* también es posible tener transmisión de video al mismo tiempo en que se está sosteniendo la conversación escrita o a través del teléfono (ver sección de *Web-cams* más adelante en este suplemento).

c. VoIP

Internet no sólo ha crecido enormemente en cuanto al formato específico de conexión entre computadoras. También ha revolucionado la telefonía. En efecto, lo que comenzó con muchas limitaciones técnicas como un tímido intento de transmitir la voz a través de Internet, se ha transformado en una nueva área de negocios, generando un formato totalmente nuevo para las comunicaciones telefónicas.

Ancho de banda y voz

Los primeros intentos de transmisión de voz no fueron alentadores. La capacidad de banda ancha que ofrecía el sistema Dial-up (el sistema de mayor uso) no permitía el envío de señales de audio codificadas. Existía un incómodo retraso en la conversación, si es que la conexión era posible de establecer.

Al masificarse y abaratarse los costos de conexiones de gran banda ancha (DSL, Cable), la transmisión de la voz mejoró ostensiblemente. Hoy existen varias empresas que ofrecen el servicio, basado en la tecnología llamada VoIP, del inglés *Voice Over Internet Protocol* (voz a través de protocolo de Internet).

Equipamiento y versatilidad

Este servicio usa generalmente un módem externo provisto por la compañía, donde se conecta el servicio de Internet que usted posee en su hogar. En el mismo módem, se conecta su aparato telefónico estándar. El número telefónico es también estándar y similar a cualquier otro de la zona donde usted habita.

Este sistema es sumamente útil, pues le permite, por ejemplo, llevar consigo el módem y conectarlo a cualquier conexión de Internet, en cualquier parte del mundo. Basta con conectar un aparato telefónico y cualquier llamada desde Estados Unidos sonará en su teléfono como si estuviera en su hogar. Asimismo, usted podrá hacer llamadas locales a su país de origen a pesar de encontrarse visitando Europa, por ejemplo.

De la misma forma, algunos de estos servicios puede enviarle por correo electrónico los mensajes grabados en su contestadota telefónica, en la forma de archivos de audio. ¡Puede escuchar sus mensajes a través de Internet en cualquier lugar del mundo!

Bajo costo

Las compañías ofrecen varios otros servicios asociados a esta versatilidad de comunicación. Entre estos, llamadas locales y nacionales en Estados Unidos sin límites y sin cobro extra, además de llamadas igualmente ilimitadas y sin costo a decenas de países, todo por un bajo cobro mensual.

Algunos de los problemas relacionados con este servicio pueden ser que la calidad de transmisión esté relacionada directamente con la calidad de conexión a Internet que usted está usando. Además, las llamadas a ciertos servicios públicos, en especial números de emergencia, como el 911 en Estados Unidos, no son posibles de realizar en todos los servicios de conexión a Internet.

Web-cams (cámaras Web)

Internet ha avanzado además en la transmisión de multimedia. Actualmente, el formato de video está masificado, ya sea a través de archivos que se descargan a su computadora, o transmisiones en directo. Muchas estaciones de televisión ofrecen transmisión con mucha mejor calidad de imagen.

Los usuarios también podrían tener el beneficio de transmisión de videos. Las *Web-cams* son cámaras digitales que permiten fotografiar o grabar y transmitir esas imágenes a través de Internet. Generalmente se instalan junto a su computadora de manera que puede, por ejemplo, usar su sistema de IM y al mismo tiempo la otra persona con la que se está comunicando puede ver su imagen en movimiento. La calidad de la imagen dependerá igualmente del servicio de Internet, la velocidad de conexión y la calidad de la cámara que utiliza.

El uso de *Web-cams* se ha masificado de tal forma que hoy en día es posible ver imágenes en tiempo real de ciertas intersecciones de calles en una ciudad, condiciones de la nieve en centros de esquí, e incluso imágenes de telescopios astronómicos.

Blogs

La masificación del formato WWW permite, con ciertos conocimientos técnicos básicos, crear una página Web. Sin embargo, a pesar de que muchos servicios de Internet han creado sistemas que facilitan construir páginas Web, lo cierto es que para crear sitios profesionales se requiere de un diseñador con experiencia, espacio en un servidor previa firma de un contrato y constante mantenimiento.

Los llamados *blogs* o bitácoras personales en Internet crearon un nuevo formato que facilita la creación de espacios para publicar experiencias personales diarias, tales como pensamientos, ideas, historias u opiniones.

Generalmente, estos primeros "diarios de vida" electrónicos usaban el formato Web tradicional como cualquier otra página de Internet. Actualmente, se han formalizado a través de empresas o comunidades electrónicas donde los miembros utilizan una plataforma o plantilla común, la que luego es alimentada con texto, fotografías, vínculos a otros sitios Web u otros *blogs*. También pueden incluir archivos de audio y video, y en general cualquier elemento posible de subir al ciberespacio. También existen programas computacionales que hacen muy simple publicar y mantener un *blog*.

Actualmente, los *blogs* han dejado de ser simples recolecciones de eventos personales para transformarse en medios de opinión muchas veces relacionados con el periodismo. Son utilizados por soldados en tiempos de guerra, artistas, escritores y periodistas.

Buscadores *(Search Engines)*

Una de las funciones más importantes de Internet es poder tener acceso a la información dentro del gigantesco universo que millones de computadoras conectadas han generado. Los buscadores de Internet o también llamados "motores de búsqueda" han facilitado este proceso, permitiendo encontrar y acceder a un número impresionante de páginas Web, de todos los ámbitos del conocimiento, además de sitios electrónicos de instituciones públicas, empresas privadas y páginas personales.

Existen muchos buscadores. Entre los más populares se encuentran *Google™, Yahoo!*® y *Altavista™* . Estos buscadores funcionan básicamente escribiendo una o más palabras claves en un espacio dado en su página inicial. A partir de esas palabras, el buscador desplegará listas de las páginas Web cuyo contenido coincide con los términos ingresados. Algunos buscadores ofrecen búsquedas específicas de fotografías o videos.

Servicios para almacenar y compartir fotografías

Con el abaratamiento de las máquinas fotográficas digitales, se ha simplificado enormemente la posibilidad de compartir imágenes. Existen actualmente en el mercado muchos sitios Web que ofrecen el servicio de almacenar todas sus fotografías digitales en un servidor, de modo de poder compartirlas con quien usted quiera, en cualquier lugar del mundo. Otras empresas incluso ofrecen un servicio para imprimir sus fotos en papel de fotografía y enviarlas por correo.

SMS

SMS, de las siglas *Short Message Service*, es un sistema muy popular para transmitir mensajes de texto entre teléfonos celulares. El servicio también está disponible desde computadoras a celulares a través de Internet, o desde un teléfono tradicional. Debido al espacio limitado y el tiempo que se consume en escribir desde un celular, se ha creado un idioma propio de abreviaciones para facilitar la comunicación. Por ejemplo, "también" se escribiría "tb".

Navegadores para PC y Mac

Pese a que *Internet Explorer* es uno de los navegadores de Internet más populares debido a que viene integrado al sistema operativo de *Windows™*, existen otros programas computacionales disponibles, la mayoría gratuitos. Existen también navegadores específicos, como el que se usa para el sistema Macintosh (Mac). Aquí le presentamos una lista de algunos navegadores actualmente disponibles.

Para *PC* y *Mac*:   Para *Mac:*
Internet Explorer®   Safari®
Netscape®   (específico para el sistema operativo OS X)
Firefox®
Opera®
Flock®

Navegador: programa computacional que permite visualizar e interactuar entre páginas Web. En inglés se conoce como *broser*.

3. Negocios y Servicios

Internet comenzó como una plataforma para compartir información, y luego se masificó como una herramienta de comunicación de bajo costo y efectiva. Sin embargo, actualmente ha avanzado a un nuevo nivel de uso: negocios y servicios.

Es prácticamente infinita la lista de herramientas, servicios, actividades comerciales y usos que Internet despliega cada día. A continuación le daremos una lista de algunas de las herramientas más comunes que le serán de utilidad en su vida diaria, de manera de tomar ventaja de todos los beneficios de su conexión a Internet y de su computadora:

a. Bancos "online": muchos bancos ofrecen un servicio gratuito o de bajo costo a través del cual usted puede manejar todas sus transacciones bancarias desde su navegador de Internet. Incluso puede programar su servicio para no recibir nunca más estados de cuenta en papel y así éstos estarán disponibles electrónicamente en la página de Internet del banco, bajo su cuenta.

b. Pago de cuentas: a través de las páginas Web de su banco o institución financiera puede pagar cuentas de tarjetas de crédito, hipotecas, créditos automotrices y cualquier negocio o servicio que ofrezca este tipo de pago electrónico.

c. Bolsas de trabajo: puede publicar su currículum y recibir ofertas laborales a través de Internet. Asimismo, muchas empresas le permiten buscar empleo usando sus propios buscadores.

d. Información del Gobierno: ¿Necesita información sobre inmigración, empleo u otros temas? El Gobierno de los EE. UU. ofrece por Internet recursos en español para ayudar a hispanos como usted a cumplir sus sueños. **GobiernoUSA.gov** es el sitio Web oficial en español del Gobierno de los EE. UU. y ofrece información oficial, actualizada y gratuita sobre programas y servicios del Gobierno acerca de una gran variedad de temas, incluyendo: Inmigración, beneficios federales, empleo, negocios, vivienda, educación, salud, nutrición y seguridad.
Visite www.GobiernoUSA.gov ¡hoy mismo!

e. Bienes Raíces: podrá acceder a miles de avisos de compra y venta de casas e inmuebles sin necesidad de moverse de su casa. Incluso muchos sitios Web ofrecen *tours* virtuales fotográficos de las casas en venta. Muchos agentes de bienes raíces usan además el correo electrónico para enviarle cada día información sobre casas en venta que podrían interesarle.

f. Compra de autos: existen muchos sitios Web donde usted puede comparar distintas marcas de autos, modelos y precios. También puede solicitar cotizaciones gratis de varios concesionarios automotrices, pudiendo elegir cómodamente la mejor oferta sin necesidad de contactar personalmente al vendedor o visitar la oficina de ventas.

g. Comparación de productos: hay muchos sitios Web que le permiten comparar precios de un mismo producto en cientos de tiendas a través del país. Al comparar puede elegir informadamente el mejor producto al mejor precio, e incluso ordenarlo a través de Internet y recibirlo por correo.

h. Compras por catálogo: muchas tiendas ofrecen más productos a través de catálogos electrónicos que los mostrados en las oficinas de venta. Existen, además, sitios Web que ni siquiera tienen oficinas de ventas: todo se divulga, oferta y vende a través de Internet. También existen sitios Web de venta de cosas usadas. Puede comprar lo que desee usando su tarjeta de crédito (tiene que asegurarse que el sitio cumple con normas de seguridad electrónica antes de ingresar su número de tarjeta de crédito u otra información personal).

i. Medios de comunicación: casi todos los diarios, estaciones de televisión y radios tienen sus propios sitios *Web*, en los cuales ofrecen parte o toda la información incluida en sus formatos originales. Incluso muchos medios ya poseen departamentos independientes de noticias asociadas a sus versiones electrónicas. La mayoría de las radios ofrecen también transmisión por Internet de excelente calidad. Las estaciones de TV ahora comienzan a transmitir en vivo y en directo a través de la pantalla de su computador. Estos sitios periodísticos ofrecen un amplio rango de servicios, como por ejemplo, informes meteorológicos, estado del tráfico, situaciones de emergencia, calendario de eventos, etc.

j. Mapas y direcciones: esta herramienta ha estado ya disponible por varios años, con una capacidad impresionante. Muchos mapas están disponibles usando imágenes reales tomadas por satélites. Sin embargo, lo más útil es el servicio de direcciones de tránsito: usted ingresa la dirección de origen y la de destino y el servicio le entrega las coordenadas para llegar lo más rápido posible. Le indica los nombres de las calles, dónde debe doblar, la distancia que recorrerá y un cálculo aproximado del tiempo que tardará en llegar.

4. Entretenimiento

Otra área que ofrece Internet es la del entretenimiento. A continuación le ofrecemos un resumen de algunas herramientas disponibles:

Música

El formato MP3 y otros similares ha permitido que archivos de música puedan ser subidos a Internet y compartidos. Debido a problemas de derechos de copia y de autor, se han creado sitios especializados donde los usuarios pueden adquirir canciones en formato digital y descargarlas en su computadora. Existen muchas colecciones legales de música a las que puede acceder a través de Internet. Asimismo, existen muchos programas computacionales, algunos gratuitos, que le permiten organizar sus archivos digitales de música y al mismo tiempo grabar en el formato CD y DVD.

Juegos

Existen muchos sitios Web especializados en juegos. Estos sitios incluyen tiendas virtuales desde las cuales se puede descargar una variedad de juegos electrónicos para usarlos en su computadora, o bien juegos "en línea" que le permiten competir con otros jugadores alrededor del mundo en tiempo real.

Sitios de amor y amistad

El tema de las relaciones humanas ha sido abordado en Internet desde sus primeros años de vida. Las comunicaciones entre los usuarios se han incrementado enormemente gracias a herramientas como el correo electrónico, los sistemas de mensaje instantáneo y las conexiones telefónicas a través de Internet, donde se forman comunidades que buscan compañía o nuevas amistades. Muchos sitios exigen un registro en sus bases de datos. Asimismo, algunos son gratuitos y otros son accesibles a través de un costo mensual.

Seguridad

El tema de la seguridad es uno de los más preocupantes en torno al uso de Internet. Se ha acuñado incluso un término específico para los delitos cometidos a través de esta herramienta: "cibercrimen". Millones de dólares en pérdidas y robos se generan cada año por crímenes relacionados con la plataforma de Internet.

Existe incluso un término específico para quienes usan herramientas computacionales para penetrar en sitios Web y también en computadoras, para robar información, dañar sistemas o simplemente romper las medidas de seguridad; son los llamados *hackers*. Lo cierto es que independiente de los fines, la mayoría de los países han establecido leyes que castigan la penetración maliciosa de sistemas computacionales, calificando estos actos como una invasión a la privacidad, un daño a patentes o derechos comerciales y, más aún, una amenaza a la seguridad nacional de los países cuando un *hacker* se introduce en los sistemas de defensa militar.

A continuación le ofrecemos un resumen de los principales riesgos a los cuales podría enfrentarse cada vez que se conecte a Internet.

Virus

Los virus computacionales son ampliamente conocidos. Lo que comenzó como programas computacionales maliciosos que se transmitían de una computadora a otra a través de discos de almacenaje, se convirtieron pronto en virus poderosos que se transmiten a través de Internet, en especial a través de los correos electrónicos.

Los virus y programas similares como los llamados "gusanos", son programas computacionales capaces de reproducirse a sí mismos e "infectar" otras computadoras. Una vez instalados en un sistema, son capaces de ejecutar órdenes programadas que pueden ir desde el despliegue de inofensivos mensajes hasta destrucción de archivos y de componentes del equipo de su computadora.

Otros virus no hacen daño directo, sino que por ejemplo pueden robar información de una computadora o utilizar espacio dentro de ella sin que el usuario se entere. A continuación le entregamos algunos consejos para evitar ser víctima de los virus computacionales:

• Instale un programa anti-virus en su computadora. Existen muchos en el mercado. Estos programas ofrecen actualizaciones periódicas y herramientas de seguridad para varias amenazas relacionadas con el cibercrimen.

• Nunca descargue archivos ejecutables que lleguen con mensajes a su correo electrónico sin estar seguro de su origen y contenido. Los archivos ejecutables generalmente tienen la extensión **.exe**. Sin embargo, actualmente cualquier archivo de cualquier programa computacional puede transportar un virus escondido en su código y la única forma de evitar que su computadora se contagie, es no abriendo o descargando esos archivos. Una vez descargados, debe hacerlos analizar por su programa anti-virus antes de abrirlos. Muchos servicios de correo electrónico tienen un anti-virus incluido que revisa todos los archivos antes de traspasarlos a su computadora.

• No descargue información de ningún formato de almacenaje (CD, disquetes, unidades de memoria removibles) sin antes analizarlos con un programa antivirus.

• Antes de aceptar servicios a través de Internet, especialmente ofertas o publicidad contenidas en ventanas promocionales (como aquellas que se despliegan automáticamente al visitar un sitio Web, llamadas *pop-up windows*), cerciórese de que son legítimas y de empresas conocidas. Un simple clic podría provocar la activación de un virus.

Programas espías (spyware)

Muchos sitios Web ofrecen programas gratis, ya sean juegos, versiones de prueba de programas comerciales, o incluso regalos tan simples como *screen-savers* (trasfondos de pantalla) o fotos para colocar en el escritorio del monitor de su computadora. Sin embargo, muchos de estos aparentes "regalos" vienen acompañados de un programa "espía" o *spyware*, también conocidos como "troyanos". Estos son instalados como parte del código del programa gratuito, o simplemente se instalan sin que el usuario se entere.

Estos programas pueden provocar varias acciones ilícitas. Por ejemplo, pueden obtener información sobre los sitios Web que usted visita y crear perfiles que provoquen el envío de publicidad especializada o relacionada con sus gustos, la cual puede ser en la forma de despliegue automático de ventanas (*pop-us*), o correo-basura (*spam*) a su casilla de correo electrónico, es decir, publicidad no solicitada.

También muchos de estos programas pueden ser utilizados por criminales para obtener información de su computadora que pueda ser usada en transacciones fraudulentas, como por ejemplo, compras en Internet a través de tarjetas de crédito.

Los programas espías son un serio riesgo a su privacidad. La única forma de evitarlos es no bajando programas computacionales de sitios no oficiales o que no estén certificados como libres de programas espías. Asimismo, le recomendamos ejecutar un programa antivirus que incluya una protección contra programas espías. De la misma forma, cualquier despliegue sospechoso de ventanas Web, o la apertura automática de páginas Web que usted no ha activado o visitado, o la invasión repentina y numerosa de correo-basura en su casilla electrónico, pueden ser advertencias de que un programa espía puede estar instalado en su computadora.

Correo-basura *(spam)* y correos electrónicos fraudulentos *(phising)*

Spam

El *spam*, o envío de publicidad no solicitada a través del correo electrónico, se ha transformado en un problema mundial, incluso provocando la creación de leyes especializadas contra este tipo de actividad. La mayoría de los países ha aprobado regulaciones prohibiendo el envío de *e-mails* con publicidad no solicitada. Algunas legislaciones aceptan el envío; sin embargo, exigen que cada mensaje incluya una forma de cancelación que evite el envío posterior. Lo cierto es que el *spam* provoca millones de dólares en pérdidas, debido al costo de transmisión, almacenaje y pérdida de tiempo que provoca en empresas, usuarios y reparticiones públicas.

¿Sabe usted cómo las empresas que envían estos mensajes obtienen su dirección de correo electrónico? Aunque no lo crea, usted mismo puede autorizar sin saberlo el uso y distribución de sus datos personales generales a terceras compañías, incluyendo su correo electrónico.

Al hacer una compra a través de Internet, contratar un servicio gratuito de correo electrónico, responder a una encuesta "on-line" o simplemente visitando un sitio Web y solicitar información, usted podría estar autorizando el uso de su correo electrónico con fines publicitarios. Por lo tanto, antes de proveer su correo electrónico en formularios de sitios Web, revise cuidadosamente las políticas de privacidad y las condiciones del uso del servicio (*privacy policy*, *terms of use*) de la página que está visitando o de la herramienta que está descargando. Muchas de estas cláusulas incluyen claramente frases en que se declara que el sitio Web en cuestión recolecta información del usuario que podría ser usada por esa empresa o por terceros. Muchos sitios dan la posibilidad de ser excluidos de estos envíos, por lo que debe prestar atención cada vez que envíe formularios o acepte recibir programas computacionales o juegos gratis.

Algunos servicios de correo electrónico ofrecen filtros que envían mensajes sospechosos a carpetas específicas, llamadas *bulk* o *junk mail.* Estos filtros no son cien por ciento efectivos, por lo que debe revisar siempre estas carpetas en caso de que mensajes legítimos puedan haber sido enviados ahí.

Phising

Otra variante del *spam* es el llamado *phising*, o envío de mensajes electrónicos fraudulentos. El fraude funciona de esta forma:

Usted recibe un mensaje de correo electrónico de su banco o compañía de tarjeta de crédito. Al abrirlo, luce exactamente igual a los correos que estas instituciones le envían regularmente. Sin embargo, para atraer su atención, va a contener una advertencia urgente, tal como: "Ha habido movimientos extraños en su cuenta, por lo que necesitamos que usted ratifique su información personal". El mensaje incluye entonces un vínculo, el cual usted va a presionar para actualizar sus datos. Usted hace clic, y es redirigido a una página *Web* similar a la de su banco, donde le piden que digite nuevamente su nombre de usuario, su clave secreta, su número de cuenta, su fecha de nacimiento, e incluso su número de tarjeta de crédito, si es el caso. Usted por supuesto desea proteger su cuenta y digita estos datos para que su banco pueda certificar que usted es el legítimo titular. Sin embargo, todo ha sido un montaje y usted acaba de enviar sus datos personales críticos a terceras personas. El correo inicial nunca fue enviado por su banco y todo el diseño es parte de un fraude que imita la imagen corporativa real de su institución financiera.

Para evitar este tipo de fraude, es necesario que usted comprenda que bajo ninguna circunstancia un banco o institución financiera solicita información privada a través del correo electrónico, excepto desde sus propios sitios Web. Ante cualquier duda, siempre contacte a su banco por teléfono y cerciórese sobre la veracidad de lo solicitado. Siempre prefiera el teléfono, usando el número que su banco le ha provisto con anterioridad.

Robo de identidad y uso malicioso de datos personales

Este tema es uno de los más serios relacionados con Internet. El robo de identidad afecta a millones de usuarios cada año. El fraude más común consiste en la utilización de números de tarjetas de crédito o códigos personales para hacer compras o transacciones fraudulentas. Por esta razón, se hace indispensable que usted:

Nunca envíe información personal o bancaria a través de medios electrónicos, ya sea correo electrónico, *Instant Messenger*, *Chat*, *blogs* o sitios Web que no cuenten con sistemas de seguridad o codificación. Esto incluye:

- Números de tarjetas de crédito
- Números de cuentas bancarias
- Fecha de nacimiento
- Número de Seguro Social
- Número de licencia de conducir
- Número relacionados con identificación tributaria
- Otros números de identificación personal

Acceso seguro a Internet para los niños: Control de los padres

Internet no significa sólo ventajas y avances tecnológicos. La capacidad de acceder a una cantidad ilimitada de información de manera fácil y, en su mayoría, de manera gratuita ha provocado a su vez problemas de control sobre el acceso de los niños a contenido no adecuado para ellos.

Con sólo un clic, un niño puede acceder a páginas para adultos con contenido sexual explícito. Asimismo, muchos sitios Web difunden juegos o videos que muestran escenas de enorme violencia. Además, la pedofilia y la difusión de pornografía infantil son uno de los más graves delitos que personas sin escrúpulos cometen utilizando Internet como plataforma de difusión.

De la misma forma, las herramientas de *IM* y *Chat* permiten que adultos utilicen identidades falsas, haciéndose pasar por niños, o seduciendo a los menores para luego encontrarse con ellos. Numerosos son los casos difundidos por la prensa donde niños y niñas son seducidos por extraños y luego secuestrados o incitados a huir de sus hogares.

Todas estas amenazas deben ser una preocupación constante de los padres. Para evitar este tipo de problemas, le ofrecemos los siguientes consejos:

- Eduque a sus hijos sobre la responsabilidad y autocontrol relacionado con el uso de Internet. Hábleles sobre el tipo de material que pueden consultar y de aquel al cual no deberían acceder, ya sea porque no corresponde con su edad o porque está prohibido por ley.

- Instale un programa computacional de control de acceso a Internet. Existen muchas herramientas en el mercado que limitan el acceso a cierto tipo de páginas, especialmente las relacionadas con sexo explícito. Muchos sitios Web voluntariamente se registran en listas de clasificación que facilitan el bloqueo según el criterio del usuario.

- Mantenga control cercano sobre los sitios Web que visitan sus hijos. Todos los navegadores pueden registrar las páginas que un usuario ha visitado en cierto período de tiempo. Sin embargo, este sistema no es cien por ciento efectivo pues sus propios hijos pueden borrar esos registros.

- Apoye un uso inteligente y constructivo de Internet. El ciberespacio puede convertirse en una poderosa herramienta de apoyo académico y de investigación. Enséñele a sus hijos a sacar ventaja de todos sus beneficios.

- Mantenga un control cercano de los contactos y amigos "virtuales" de sus hijos, especialmente aquellos con los que su hijo dialoga a través del IM o *Chat*. Hay varios servicios de *Chat* que integran herramientas para que los padres aprueben o no el ingreso de los hijos a salas de conversación en línea.

- Ponga atención a cambios de conducta de sus hijos relacionadas con el consumo de tiempo frente a la computadora. Demasiadas horas conectados a Internet, especialmente en la tarde o noche es un factor a considerar. Asimismo, conductas defensivas cuando usted se acerca a su hijo mientras está conectado a Internet (apagado del monitor, apagado de la computadora, evasivas sobre lo que estaba viendo, etc.) son llamados de advertencia que debe considerar.

- No permita bajo ninguna circunstancia que su hijo se cite a solas con una persona que ha contactado a través de Internet. Enséñele a sus hijos que herramientas como el IM o sitios Web de amistad no aseguran que la persona que se comunica a través de la computadora es realmente quien dice ser. Internet efectivamente puede dar origen a muy buenas amistades, pero cualquier contacto virtual debe ser supervisado por los padres.

- Es de suma importancia enseñarles a sus hijos que no deben, bajo ninguna circunstancia, entregar datos personales de ellos o de su familia, tales como números telefónicos, dirección, números de identificación, nombre o dirección de sus escuelas o cualquier otra información privada, a no ser que un adulto de la familia lo haya autorizado.

- Asegúrese de que los sitios de conversación virtual que sus hijos visitan poseen normas de uso de lenguaje apropiado. Muchos de estos sitios ejercen un control activo sobre lo que sus usuarios pueden o no discutir en sus sitios Web, como forma de evitar el uso de lenguaje ofensivo o sexual.

- Esperamos que toda la información que le hemos entregado en este suplemente haya sido de utilidad. Le invitamos a explorar Internet y a descubrir muchas más herramientas que le ayudarán a mejorar su vida y la de su familia. ¡Buena suerte!

MSN®, Hotmail®, Yahoo!®, Google™, Altavista™ Gmail™, AOL®, Windows™, Internet Explorer®, Netscape®, Firefox®, Opera®, Flock®, y Safari® son marcas registradas. Computación sin Barreras no es dueño ni licenciatario de estas marcas y son mencionadas sólo con propósitos informativos.

3 1/2 floppy (A:)   floppy de 3 1/2 (A:)

A

A word or phrase in the files una palabra o frase en los archivos
Accessories accesorios
Account cuenta
Active window ventana activa
Add agregar
Add a page to your list agregue una página a su lista
Add Favorite agregar una página favorita
Add to Favorites agregar un sitio web a la carpeta de sitios favoritos
Adding to the Desktop agregar al escritorio
Address Bar barra de dirección
Advance button botón "avanzar"
All files and folders todos los archivos y carpetas
All or part of the file name el nombre del archivo o parte de él
All Programs todos los programas
Alphabetical list lista alfabética
AND y
AND NOT y no
Antivirus software programa antivirus
Appearance apariencia
Appearance and Themes apariencia y temas
Apply aplicar
Ask for Assistance Pida ayuda
Attach adjuntar
Attachment archivo adjunto
AutoComplete rellenar automáticamente

B

Back ir a la página anterior, ir hacia atrás
Background fondo
Basic model modelo básico
Bold negrita

C

Cable cable
Cancel cancelar
C-Drive unidad de disco C, disco duro
Change view cambiar la vista
Changing your home page cambiando su página de inicio
City ciudad
Clear History borrar el historial
Clicking hacer clic
Close cerrar
Command comando
Computers or people computadoras o personas
Confirm folder delete confirmar la eliminación de la carpeta
Contacts list   lista de contactos
Content Adviser consejero de contenido

Contents lista de temas
Control Key tecla de control
Control menu icon ícono del menú de control
Control Panel panel de control
Cookie archivos que guardan información personal
Copy copiar
Copy here copiar aquí
Copy this file copiar este archivo
Corrupted corrupto(a)
Country país
Create Folder crear una carpeta
Create In crear en
Create mail crear un correo electrónico
Create Shortcuts here crear un acceso rápido aquí
Criteria criterios
Curved arrow flecha curva
Customize personalizar
Cut cortar
Cut button botón "cortar"

D

Date Modified fecha de modificación
Date, Time, Language fecha, hora, idioma
Delete Key tecla de borrado o eliminación
Delete this file borrar este archivo
Desktop escritorio
Details detalles
Devices with removable storage unidades de almacenamiento desmontables
Display mostrar
Display Properties propiedades de visualización
Documents documentos
Domain name nombre de dominio
Don't show me this again. No me muestre esto otra vez.
Dot printer impresora de puntos
Double clicking hacer clic dos veces seguidas
Download descargar
Draft borrador
Drag and Drop method método "arrastrar y soltar"
Drag arrastrar
Drive unidad de almacenamiento
Drive A disquetera
Drive C disco duro
Drive D lector de CD, CD-ROM o DVD
Drop-down list lista desplegable
DVD burner grabador de DVD

E

Edit editar
Electrical outlet enchufe eléctrico
Empty vaciar

Empty the Recycle Bin vaciar la papelera de reciclaje
End Program cerrar el programa
End task terminar la tarea
Enter a business name or type ingrese el nombre de la compañía o el tipo de negocio
Enter key tecla "ingresar" o "introducir"
Explore explorar
Explorer Bar barra del explorador

F

Favorites favoritos
File archivo
File and Folder Tasks window ventana de tareas de archivos y carpetas
File name nombre del archivo
Find encontrar
First Name nombre
Folder carpeta
Folder pane cuadro de carpetas
Fonts folder carpeta de tipos de letras
For quick viewing para ver rápidamente
Forward ir a la página siguiente, ir hacia delante
Free space espacio libre
Freeze congelar
FTP Site (File Transfer Protocol) sitio o página FTP (protocolo de transferencia de archivo)

G

General general
Get driving directions from recibir instrucciones para manejar desde...
Gigabyte unidad de capacidad del disco duro o de la memoria RAM; un gigabyte equivale a 1,024 megabtes
Guest account cuenta de un usuario invitado

H

Hardware componentes físicos de una computadora
Help and Support Center centro de ayuda y soporte
Hierarchy jerarquía, orden del contenido de la computadora
Highlighted Right-click resaltar una opción con el botón derecho del ratón
History Historial, lista de sitios web visitados
History Button botón del historial
Home página de inicio
Home Button botón de inicio
Home inicio
Home Page página de inicio
HTML (HyperText Markup Language) lenguaje de marcas de hipertexto
HTTP (HyperText Transfer Protocol) protocolo de transferencia de hipertexto

I

Icon Right-click hacer clic sobre un ícono con el botón derecho del ratón
Icon size tamaño del ícono
Icons íconos
Inbox buzón del correo electrónico

Index índice
Initial inicial
Inkjet printer impresora de chorro de tinta
Input devices dispositivos de entrada
Insertion Point punto de inserción
Internet Options opciones de internet
ISP proveedor de internet
Italic itálica, cursiva

J

JPEG (Joint Photographers Expert Group) JPEG (grupo conjunto de fotógrafos expertos); formato usado para imágenes

K

Keep the original size mantener el tamaño original
Keyboard teclado
Keyword palabra clave

L

Laser printer impresora láser
Last Name apellido
Link vínculo, enlace
List lista
List topics lista de temas
Listing your favorite places haciendo una lista de páginas favoritas
Local disc (C) disco local C, disco duro
Lock bloquear
Log Off terminar la sesión
Log on iniciar una sesión
Look in mirar en
Look It Up búsquelo

M

Mail correo
Make all my pictures smaller reducir el tamaño de las imágenes
Map/Directions Link vínculo de mapas/direcciones
Maximize Maximizar
Media bar barra Media
Megabyte unidad de capacidad; se usa comunmente para la memoria RAM; equivale a 1,024 kilobytes
Menu bar barra del menú
Message pane cuadro de mensajes
Minimize minimizar
Minus sign signo menos
More más
More advanced options más opciones avanzadas
Mouse ratón
Mouse pointer puntero, flecha del ratón

Move here mover aquí
Move this file mover este archivo
Move to Folder mover a la carpeta
Movies películas
MSN home page página web de MSN
Music música
My Computer mi computadora
My Network Places mis sitios de red
My other address mis otras direcciones

N

Net etiquette normas de cortesía en internet
New Task nueva tarea

O

On button botón de encendido, botón de puesta en marcha
Open abrir
Open button botón "abrir"
Open My Pictures Folder abrir mi carpeta de imágenes
Organize organizar

P

Page Setup Button botón de composición de página
Password contraseña, clave
Paste pegar
Paste Button botón "pegar"
Phone jack enchufe telefónico
Pick a Category Seleccione una categoría
Pick a topic Escoja un tema
Pictures, music or video imágenes, música o video
Pins conectores
Platform for Privacy Preferences plataforma para preferencias de privacidad
Play reproducir
Plus sign signo más
Pointer cursor
Pointing apuntar, señalar
Pop-up messages ventana que se despliega para mostrar un mensaje
Ports puertos
Preferences preferencias
Preview pane cuadro de lectura del mensaje
Print imprimir
Print Preview vista previa de la impresión; ver el documento en pantalla antes de
              imprimirlo
Print This Image imprimir esta imagen
Printer impresora
Printers and Other Hardware impresora y otros equipos
Privacy privacidad
Privacy norms normas de privacidad
Program files archivos de programas
Properties propiedades

Q

Quotation marks comillas

R

Rating clasificación
Read mail leer correo
Recycle Bin papelera de reciclaje
Regional Options opciones regionales
Rename cambiar el nombre (de una carpeta o archivo)
Rename this file cambiar el nombre de este archivo
Reply contestar
Restart reiniciar
Restore restituir, restaurar, volver al estado original
Restore Down reducir al tamaño anterior
Right-click hacer clic con el botón derecho del ratón
Roll-over message box mensaje de ayuda que aparece al pasar el cursor
                        sobre un elemento
Running funcionando

S

Save guardar
Save as type guardar como
Save changes guardar cambios
Save in drop-down list guardar en la lista desplegable
Save This Image guardar esta imagen
Screen Saver protector de pantalla
Scroll desplazar
Search buscar
Search Companion ayudante de buscador
Search Engine motor de búsqueda
Search Operators operadores o filtros de búsqueda
Search options opciones de búsqueda
Search the Web buscar en la Red
Security seguridad
Send enviar
Send a link enviar un vínculo
Send a page enviar una página
Send an attached file enviar un archivo adjunto
Send this image in an e-mail enviar esta imagen por e-mail
Server servidor
Settings ajustes
Sharing compartir
Shift Key tecla de mayúsculas
Shortcut acceso rápido
Short-cut menu menú de acceso rápido
Show More Options mostrar más opciones
Shut down apagar
Size tamaño (tamaño de un archivo)

Software programa
Space Bar barra espaciadora
Spam correo chatarra; correo basura
Speed tab opción de velocidad
Spreadsheet hoja de cálculo
Spyware programa espía
Stand By en espera
Standard buttons toolbar botones estándar del menú de herramientas
Standard Toolbar barra de herramientas estándar
Start button botón de inicio
Start menu menú de inicio
State/Province estado/provincia
Status Bar barra de estatus
Street Address dirección
Subject tema o asunto del mensaje
Subtopics subtemas
Support Online ayuda o asistencia técnica en línea
Susbcribe suscribirse
Switch to cambiar a
Switch User cambiar de usuario

T

Tab key tecla de tabulador
Taskbar and Start Menu Properties barra de tareas y propiedades del menú de inicio
Text texto
Themes temas
Thumbnail imagen pequeña
Tiles mosaicos
Time Zone zona horaria
Title bar barra de título
Tool bar barra de herramientas
Tools herramientas
Tooltip cuadro de descripción de funciones
Total size capacidad total
Trojan Horse virus troyano
Turn off apagar
Turn off Computer apagar la computadora
Type tipo (tipo de programa o archivo)

U

Undock Player separar el reproductor de video o audio
Unsusbcribe cancelar la suscripción
Up button botón que sirve para ir a un nivel superior del orden o jerarquía
Upgrade aumento o mejora del equipo, actualización del programa
URL (Uniform Resource Locator) localizador de recurso uniforme
User account cuenta de usuario

V

Version versión
Views button botón de vistas
Volume volumen

W

Web Help ayuda en la Red
Web site sitio web
Welcome screen pantalla de bienvenida
What do you want to search for? ¿Qué quiere buscar?
What size is it? ¿De qué tamaño es?
What's New novedades
When was it modified? ¿Cuándo se modificó?
White pages páginas blancas
Window ventana
Windows Task Manager administrador de tareas de Windows
Worm gusano

Y

Yellow pages páginas amarillas

Z

Zip Code código postal
Zoom In acercamiento
Zoom In Button botón de acercamiento
Zoom Out Button botón de alejamiento

Ahora vamos a aprender a utilizar los CD-ROMs que se incluyen en los estuches de Computación sin Barreras.

1. Encienda la computadora.

2. Apriete el botón para abrir la unidad de lector de CD, CD-ROM o DVD *(Drive D)*.

3. Ponga el CD-ROM en el lector y vuelva a presionar el mismo botón para cerrarlo.

4. Espere unos instantes a que el programa empiece automáticamente.

5. Cuando aparezca la alerta de seguridad, haga clic en *Yes.*

6. Si su computadora no tiene el programa Shockwave 8.5 instalado, el CD-ROM le ofrecerá instalarlo. Haga clic en *Instalar Shockwave desde este CD*.

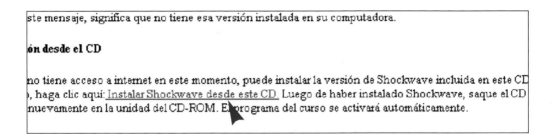

ste mensaje, significa que no tiene esa versión instalada en su computadora.

ón desde el CD

no tiene acceso a internet en este momento, puede instalar la versión de Shockwave incluida en este CD , haga clic aquí: Instalar Shockwave desde este CD. Luego de haber instalado Shockwave, saque el CD nuevamente en la unidad del CD-ROM. El programa del curso se activará automáticamente.

7. Haga clic en *Run*. Es posible que aparezca otro cuadro de diálogo con la opción *Run*, en cuyo caso debe hacer clic en ella para continuar.

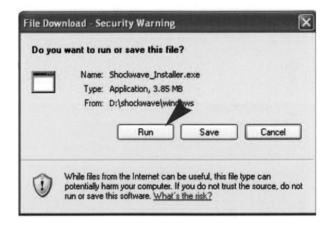

8. Haga clic en *Next*.

9. Aparece una ventana que muestra la instalación de este programa.

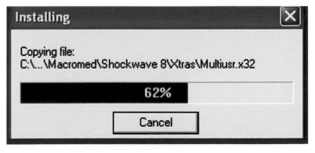

10. Por último, se abre una ventana que confirma la instalación del programa. Haga clic en *Finish*.

11. Presione el botón dos veces para volver a abrir y cerrar la unidad de lector de CD, sin sacar el CD.

12. El programa comienza a funcionar automáticamente.

13. Escriba su nombre en el espacio indicado. Luego, haga clic en *Agregar usuario.*

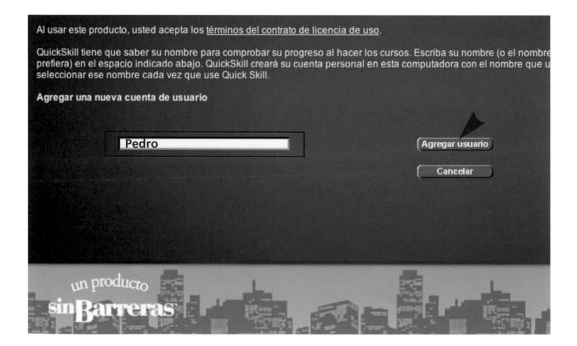

14. Busque su nombre en la lista, selecciónelo y haga clic en *Ingresar*.

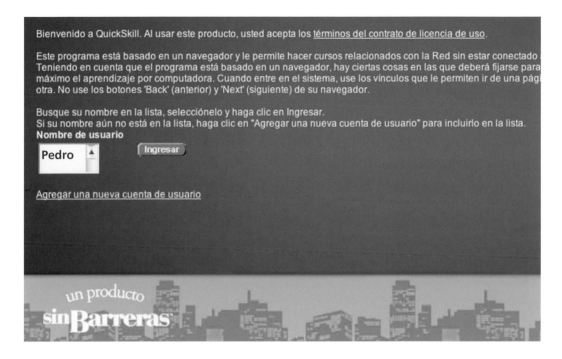

¡Ahora puede empezar los ejercicios interactivos del CD-ROM!

Haga clic en *Comenzar* al lado del título de la lección para empezar el ejercicio interactivo correspondiente. Se recomienda que haga los ejercicios en el orden establecido.

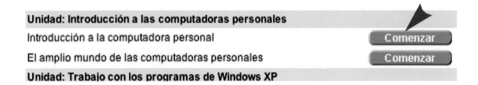

Se abre la ventana de inicio del ejercicio. Podrá leer y oír las instrucciones de los ejercicios en español. Asegúrese de que las bocinas o parlantes (speakers) de su computadora estén conectadas y el volumen activado.

opciones   Al hacer clic en el botón "opciones", se abre una ventana con opciones adicionales tales como "volver a empezar" y "ayuda".

⊘ salir   Al hacer clic en el botón "salir", puede terminar la sesión sin haber completado el ejercicio. Antes de cerrar el programa, deberá confirmar que desea terminar la sesión.

▶   Al hacer clic en el botón "avanzar", pasará a la instrucción siguiente o a la página siguiente del ejercicio interactivo.

◀   Al hacer clic en el botón "retroceder", irá a la página anterior del ejercicio interactivo.

▷   El triángulo verde del cuadro de texto le indica que debe realizar una tarea.

◤   La flecha roja le indica el objeto en el que debe fijarse o que debe seleccionar.

Para poder usar los CD-ROM, su computadora debe disponer de los siguientes componentes:

◆ **Procesador:** un procesador Celeron, como mínimo. Se recomienda un procesador Pentium 4 con 1.2 GHz o un procesador más rápido.

◆ **Sistema operativo:** Windows® 98, Windows® 2000, Windows ME® con un mínimo de 128MB de memoria RAM y 300MB de espacio libre en el disco duro. Se recomienda Windows® XP con 256MB de memoria RAM y 600MB de espacio libre en el disco duro.

◆ **Shockwave:** su computador debe tener instalada por lo menos la versión 8.5. Esta versión viene incluida en todos los CD-ROM.

◆ **Una unidad reproductora de CD-ROM**

◆ **Un ratón** de dos botones, ya sea un IntelliMouse o un dispositivo compatible.

◆ **Un monitor VGA**

◆ **Dos bocinas (parlantes)**

◆ **Navegador de Internet:** Microsoft® Internet Explorer 5.5 o Netscape Communicator 6.0 como mínimo.

(No es necesario disponer de una impresora para hacer los ejercicios; sin embargo, la computadora debe incluir un controlador de impresora para que se pueda usar la opción *Print Preview*).

Contáctenos / Contact us

Para clientes de Computación Sin Barreras

Llame a **Profesores por Teléfono** al 1-800-579-8817* si tiene preguntas relacionadas con el curso.

Llame al departamento financiero al 1-800-933-9495 si tiene preguntas relacionadas con su contrato o su factura.

Llame al departamento de servicio al cliente al 1-800-727-1265:
- para solicitar el reemplazo de componentes del curso
- si tiene alguna pregunta o duda relacionada con el funcionamiento de la computadora que le vendió Lexicon, si la computadora que le vendió Lexicon no funciona correctamente y si ya ha consultado el manual de instrucciones de la computadora.

Si Lexicon no le ha vendido la computadora, llame a la compañía que se la vendió para resolver cualquier duda o problema relacionado con su equipo.

Libraries and other institutional clients:

For any inquiries regarding:

- purchasing this program or components
- volume discount information
- questions about using this program
- replacing defective components

contact us at 1-800-411-6666 or email us at educators@lexicontraining.com.

*Servicio no disponible en California. Servicio disponible durante dos años a partir de la compra del producto.